1.「物語の神秘性、大聖堂の美しさ、顕現と表象の切り離せない関係…これらがこの覚書の内容でございます」(皇后陛下美智子さまへの著者の手紙)141頁

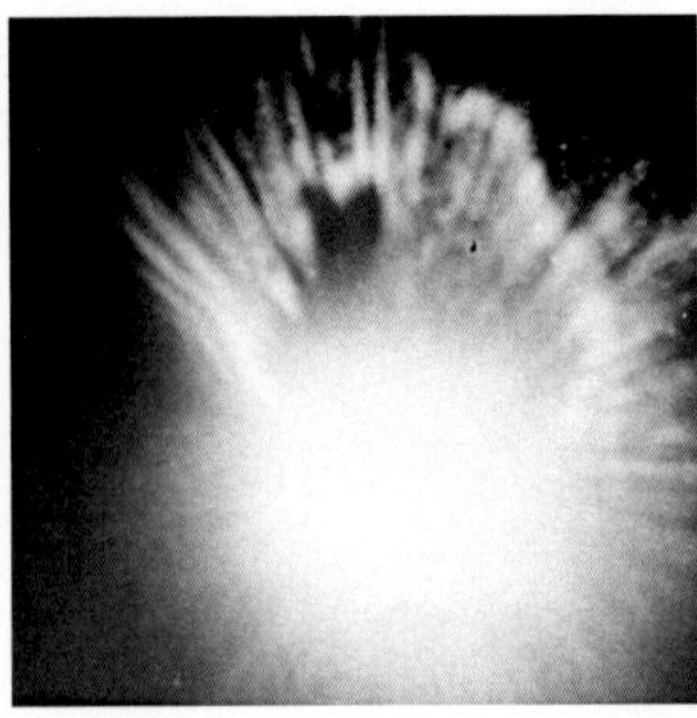

3

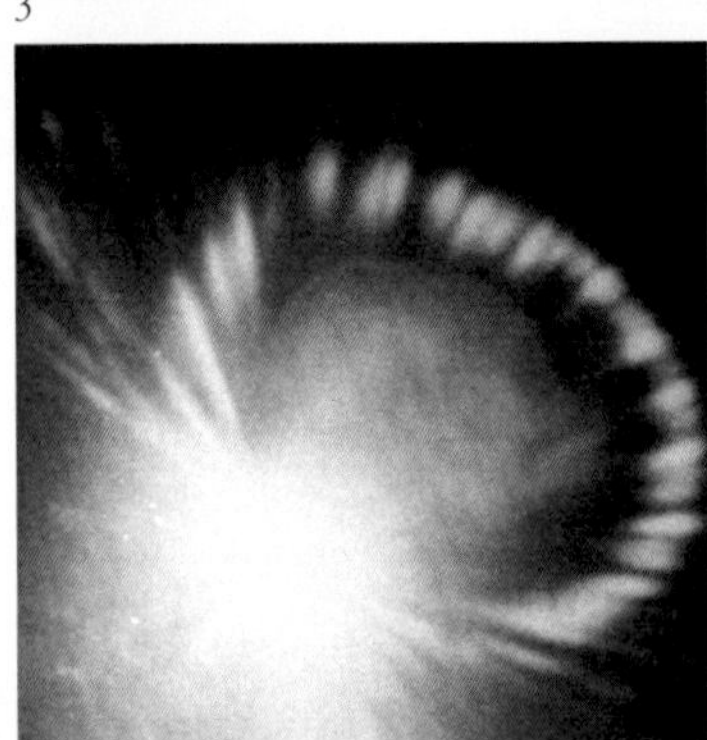

4

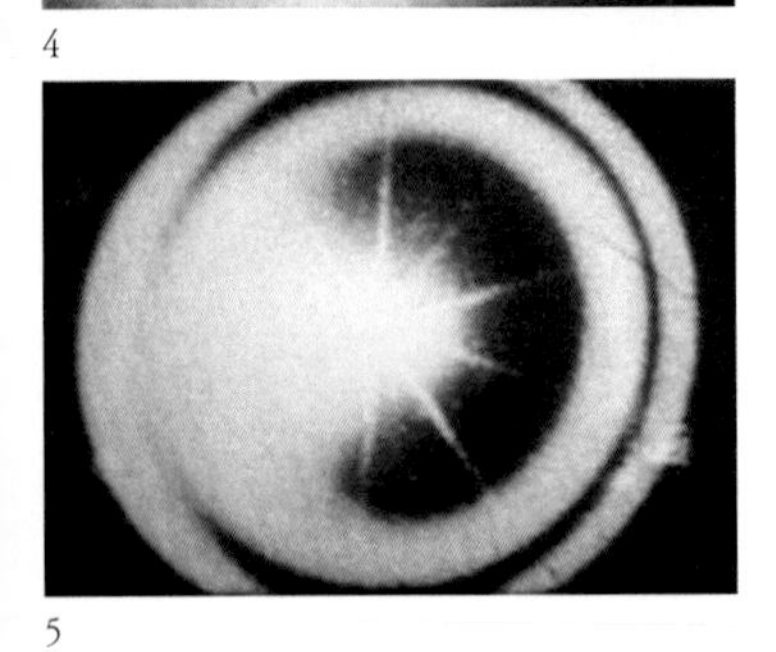

5

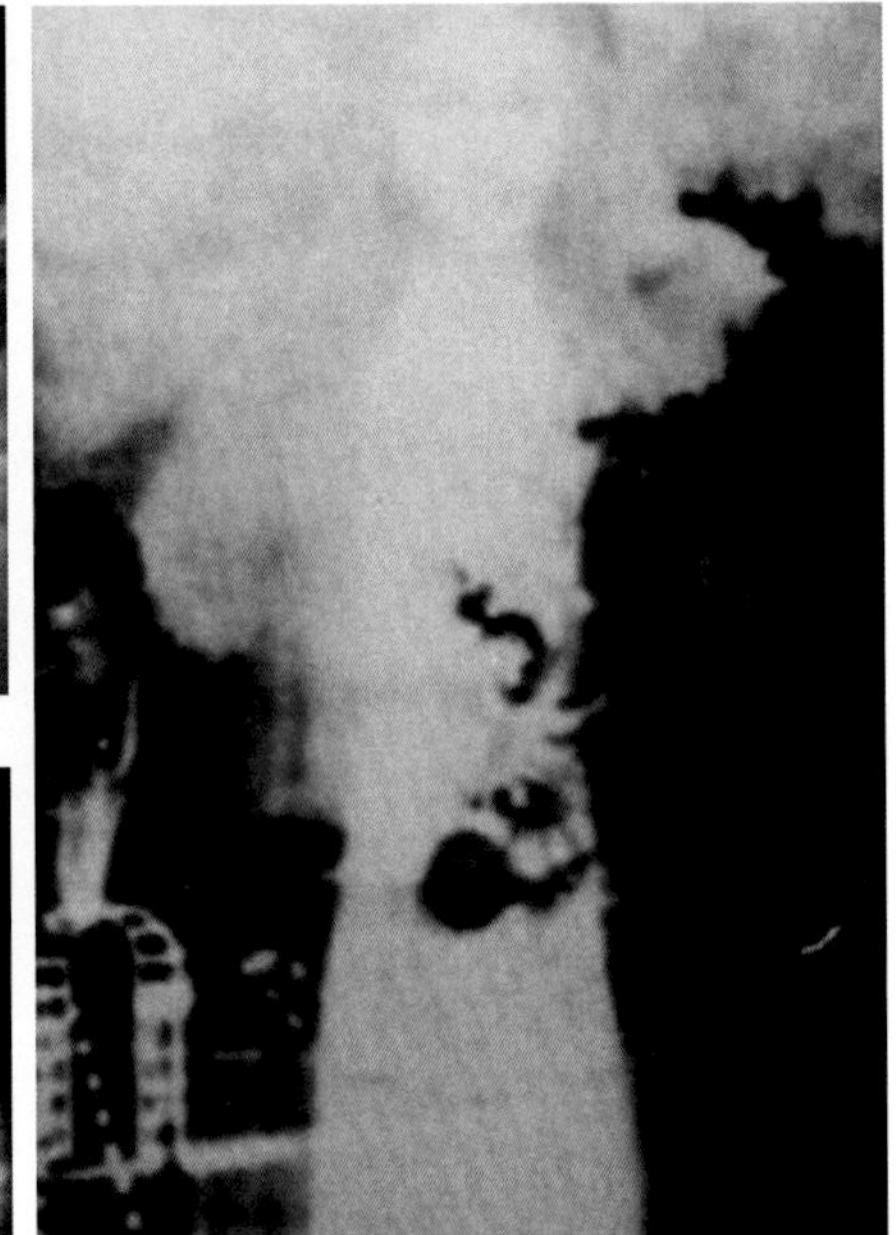

2. 聖母顕現。イタリア、サン・ダミアノ村、ママ・ローザの「薔薇の聖母」園で、幻視者のダニエル・セールが自ら撮影した(257頁)。以下同。その時々の撮影者の内風景も映し出されることあり。ここでは、人工妊娠中絶反対の運動にかかわっていたことから、胎児が映りこんでいる。
3-8. そこでは毎週金曜の正午にマリア顕現と、ついで摩訶不思議な「太陽のダンス」が見られた。いずれも凄まじい回転光の乱舞(250頁)。本書各巻の表紙に「天空の奇蹟」シリーズとして紹介。但し、6は聖母顕現の始まりを表わす別系統の映像で、前記2へと続く。
10. これらの写真(9を除く)は全て「ピレネーの幻視者」ダニエル・セールが撮影したものを、著者がピレネーまで彼女を訪ねて複写した(254頁)。

9

6

7

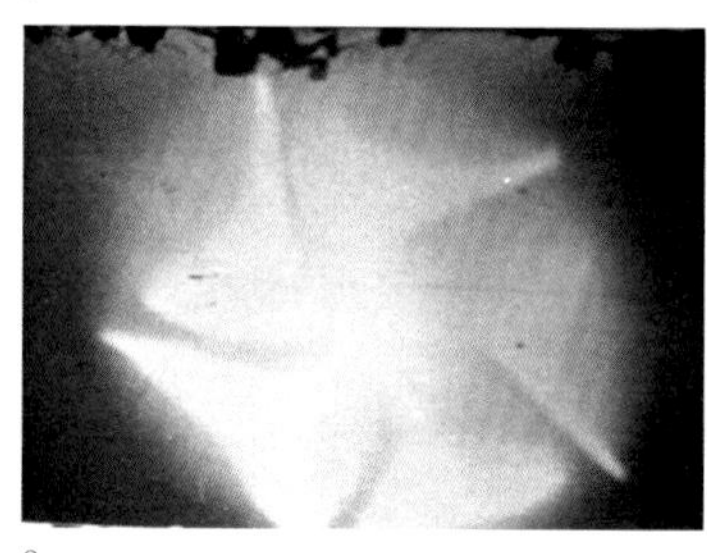

8

10

11

12

13

11. 1870年、仏ブルターニュ州ポンマンで、6人の児童に聖母が空中顕現し、普仏戦争終結を予告するとともに多くの奇瑞を見せた(148頁)。ヴァチカン公認。
12. 1846年、仏、高アルプスのラ・サレットで2牧童にマリア顕現し、2年後のマルクス『共産党宣言』出版を予告し、長期人類危機を予言した(204頁)。ヴァチカン公認。
13. 荒涼たる高原に記念の大聖堂がそびえる。著者撮影

竹本忠雄

未知よりの薔薇

第七巻　影向篇

勉誠社

未知よりの薔薇　第七巻 影向篇

目次

彼にとつて、許容しうる神秘とは、まづそれが明るくなければならぬといふことだつた。
すみずみまで明晰な神秘があつたとしたら、彼は進んで信じるだらうと思はれた。

——三島由紀夫『豊饒の海』一九七〇年「奔馬」第五章

カバーデザイン――橋場信夫
カバー写真――ダニエル・セール
表紙デザイン――大岡亜紀
画像データ管理――山﨑誠一

第一章　旅仕度

マルロー「パンテオン入り」

目の前、広場の中央に、一基の台座が置かれている。

その手前、左向きに、黒の外套をぴしっと着こんだ長身の一人物が身じろぎもせず立ちつくしている。

そこから二、三十歩手前の桟敷に、紋付袴姿で正装したジャポネがひとり。

ジャポネの左手には遺族の席。いましも、そこに、喪主を含む三人の女性が顔を合わせたところである。

夕刻五時。一斉にライトが点された。しめやかにピアノ曲が流れはじめる。式次第には、オリヴィエ・メシアン曲「プレリュード」と記されている。と、それまで、台座の後方にのしかかるばかりにそびえていた建物の巨影が、濃紫の照明を下方から浴びて、並び立つ神殿風の円柱をくっきりと宵闇に浮かびあがらせた。てっぺんの三角の破風を、まばらな星空へと突き立てて。

建物のファッサードの中程に、レリーフの文字が目を射る。

《偉人に、祖国は感謝》——とある。

今宵、偉人とは、アンドレ・マルローだ。

隣の天幕の下では、故人の血を分けた、たった一人の生き残りの娘、フロランスの面前で、正夫人マドレーヌと、黒い幅広の帽子をかぶった愛人ソフィーが抱擁し合い、一瞬、それは一つの影のようになった。
一九九六年十一月二十三日、歿後二十周年を期して、フランス政府によるアンドレ・マルローのパンテオン奉祀祭はこうして始まった。

しっかりと外套に身をつつんだ人物、シラク大統領を前に、薄い紋服をとおして浸みとおる寒気にふるえながら、ただ一人の日本人参列者である私は、内心、つまらぬ虚勢を張っていた。俺は大統領に負けなかったぞ。向こうは外套を着こんでいるが、こっちは和服の礼装ゆえ、下着も付けずにいる……

そのときだった。広場の左手奥、スフロ街の暗がりを埋める黒山の群衆から、ざわめきが上がった。いつしか、音楽は、哀悼を表す大太鼓に代わっている。どぉんどぉんという、寄せては返す大浪にも似た緩徐たるリズムに合わせて、手に手に龕灯(がんどう)を持って忍びやかに路面を照らしながら、百人ばかりの若者の行列が入場してきたのだ。闇中、敵陣に肉薄するレジスタンス戦士らを擬しているらしい。
六人の儀仗兵に担がれて、三色旗に覆われた棺が、これに続く。広場を半円形にかこむ天幕内の桟敷で、列席者は、一斉に起立した。

誰の胸にも、戦士マルローの毅然たる風貌が過ぎつつあることであろう。独軍占領下、中央山塊に近い「R5地区」のレジスタンス活動を指揮し、ノルマンディー上陸作戦と呼応してストラスブール市解放に奮戦した、アルザス・ロレーヌ旅団長の雄姿が。

今宵、彼はここに、ヴィクトール・ユゴーをはじめとする五人目の文学者として、パ、ン、テ、オ、ン、入り――「パンテオニザシオン」と呼ばれる――しようとしている。『人間の条件』の作者の名声は高い。だが、人間の条件とは屈従の条件なりとして、これを断ち切る歴史的戦闘に挺身した戦士の名は、なお高い。

ある種の男たちの胸奥には、武人として死にたいという願望が埋み火のごとく燃えつづけている。それなくして三島由紀夫に切腹はなかった。日本の名画、藤原隆信の「重盛像」について、「重盛は切腹の精神を視つめている」と書いたマルローも、そのような憧憬者の一人だった。はやばやと消滅した西洋の騎士道と比較して、日本ではなぜ武士道がこんなに長く続いたのかとの問いを、生涯、抱きつづけた。昭和天皇との会見でも、「騎士道と武士道の対話を交わしうるのはフランスと日本の二国のみです」と胸を張った。

そうした尽きせぬ夢のすべてを賭けて、いま、ここに、「八百年間不世出」と讃えられる英雄――一部識者の間では十三世紀の聖ベルナールにまで遡らなければ比肩する人物がいないといわれる――が、パンテオンこと旧「万神殿」に祀られようとしているのだ。


若者たちに先導された棺の葬列は、まず、元老院（セナ）で全議員の畏敬を受けたあと、延々たる燈火に導かれてセーヌ川添いに進んできた。

棺は台座に置かれ、大統領は弔辞を述べはじめた。

そのあと、重い鉄門が開かれ、丸天井の真下に遺骨は収められるであろう。

「歩む人」と題されたジャコメッティの彫刻のかたわらに。

マルローは、何があろうと、真っ直ぐ前に向かって来る人といわれてきた。現代芸術のブロンズ製ドゥーブル（守護霊）のもと、永遠に前へと歩みつづけるであろう。

*

ヴァレンヌへの探索行から帰国した翌年の秋のことだった、ジャック・シラク大統領からの招待を受けて、マルロー奉祀祭の盛儀に私が日本から駆けつけたのは。

初代共和国によって処刑された国王ルイ十六世の石碑前で不可思議な秘声を聞いて帰ってくれれば、今度は、その国王をギロチンにかけた初代共和国から二百年後の第五共和国の元首に招かれて、国家的祭典に列席する——このような自分の役割はいったい何であろうかと考えた。

その前年に私は、筑波嶺（つくばね）の麓から富士山麓へと引っ越してきたところだった。十五年間「つとめあげた」——そういう語彙があると知った——大学を定年退職してから、しばし、御殿場で人生の余暇を憩うていたころである。富士山麓の印野というところに一般社団法人倫理研究所の研修所があり、そこに客分として迎えられた。「筑波越え」を共にした若き東洋思想研究家、丸山敏秋氏が、いまや同研究所の理事長として押しも押されもせぬ地位にあり、ふたたび天下無宿となった愚生に寛大にも庇（ひさし）をさしのべてくれたのだった。

多年の教師生活で私はアカデミズムの雰囲気はついに自分には馴染まないと実感していた。見えない世界に橋をかける国際会議を開きたいとの初一念から筑波入りし、僥倖にもそれを実現しえたからには、もっと早く学園を去っても然るべきだったであろう。しかるにその踏ん切りがつかず、漫然と教職に留まっていたのは、本来の一匹狼としての己に背いて懶惰となっていたからではなかろうか。

そんなときに、西方から風が吹いたのだ。ルネサンス期の絵画に、翼を生やした天童が頬をふくらませて海上の帆船に風を送っている図がある。ゼフィール（西風）と呼ばれる。昔をいまになすよしはないとしても、もしこの海路の日和(ひより)で最後の船出ができるならば……

富士の霊気は強い。

印野では、一歩戸外に出れば、しんしんと杉の森が広がっている。富士の秀嶺が杉の森の向こうに間近に仰がれる。それと真向かって界隈を散策していると、時折、目まいすることがあった。路傍の切り株に坐ったり、崩れかけた石垣に手をかけたりして息をととのえる。よくある定年後の体調の変化かと疑ったが、そんなものではなさそうだ。何か強烈な山の磁気の放射のようなものを感ずる。大拙師の「霊性は大地とむすびついている」が思いだされた。

例によって妙な体験もあった。

まだ筑波暮らしのころ、理事長になる以前の丸山青年が、自ら車を運転して初めてこの施設に案内してくれたときのことである。その夜、保土沢園という土地の旅館に泊まった。ちょっとした岩風呂があって、そこに入ろうとすると、さして広くない湯槽いっぱいに何か罫線のようなものが湯の中にみえる。どう見ても原稿用紙のようだ。たぶん、タイル貼りの底が透けてみえるのだろうと、湯の表面を搔きまぜてみたが、縦横の線はびくとも動かない。どうにも奇妙な感じだったが、錯覚かと自分をごまかして、そのときは済んだ。

御殿場暮らしをするようになって、九年ぶりにまた保土沢園に泊まる機会があった。往時を思いだしながら風呂場に降りた。ところが、浴槽は改装されていて、底は本物のタイル貼りに変わっていた。当然、前に見た原稿用紙風の枡目よりずっと線が細かく、湯を搔きまぜると、ゆらゆらと屈折する。先に見たのが、やはり変だったのだ。宿の女将に話すと、まあそんなことがあったのですかと驚いていた。何か因縁噺の一つでも出るかと思ったが何も出てこなかった。

因縁というより、自分の心因を問題とすべきだったかも。

考えられることは、『未知よりの薔薇』を書きたいとの我が妄執にこたえて、友が富士山麓に呼んでくれたことである。若き日の一夜の夢に端を発して、生涯を賭けてもその謎を解き明かさずにはおかじと、妙にこだわって生きてきた。筑波時代にもそのように口走っていたから、知る人は知っていた。かの寿老人のおつむの哲学者、湯浅泰雄博士からも、「あれはまだですか」と聞かれたりする始末だった。結局、博士の秘蔵っ子の丸山敏秋氏が我が煩悩の聞き手となって、煩悩無尽断々乎とばかり、若者たちの研修の場に呼んでくれた次第だった。

それでもなお、執筆はいっこうにはかどらない。二、三年、お世話になりながら、せいぜい一篇の断章――第六巻に収めた「交野路」――を書いたにすぎない。これには、さすが忍耐づよい同君も呆れ果てたようで、後年、「あのときは、お書きになるというのでお出でいただいたんですがねえ」と、やんわり釘を刺される始末となった。

ともあれ、富士の裾野で「原稿用紙のお化け」――と噂された――が出てくる理由は大ありだったのかもしれない。


そんなさなかに、西風は吹いたのだ。

これで、諦めきったフランス復帰が成るかもしれない。

渡仏にあたって、倫理研究所は、神田三崎町の本部を挙げて盛大な歓送会を催してくれた。私自身はそのように洩らした覚えはなかったが、何人かの祝辞に「フランス永住」という言葉が使われているのを聞いて、なるほど世間からはそう見られているのかと思った。

実際は、内心、今度の渡欧を、「ヴァレンヌ」以後の謎ときに挑む絶好のチャンスと捉えていた。王の石碑まえで私が聞いた秘声は、革命で血祭りにされた無慮数百万の人々の鬼哭であろうと、秘教学者ジャン・フォールから教えられた。さらに彼によれば、「マリア顕現」なる現象も反「革命」にかかわりがあるらしい。啓蒙と進化の栄光を冠された西洋の近現代史の裏面を、そこに見ることができるかもしれない。ならば、この絶好の機会に、身を張ってでも事の虚実を確かめてみたい。

《霊性と歴史のクロッシングは如何にして起こるか》——我が人生の長い内的探索は、この一点に絞られつつあった。

もっとも、このような思案は、飽くまでも自分の内心に留むべきであって、いやしくも外に洩らす性質のものではない。歓送会での主賓挨拶でも当然、私はこの点に触れなかった。元駐タイ大使の岡崎久彦氏やフランス大使館の文化参事官をはじめ、多数知友の馳せ参じてくれた熱い雰囲気に感謝しながらも、この秘め事は、ついに挨拶でも触れずじまいだった。

ともあれ、永住といわれた以上は、今度こそ、往きて還らずでなければならぬ。人生は振り向いてはならない。かつての自分の失敗は、人買いに騙されたようなものとはいえ、結局は初志に反して戻ったことの報いだった。「事、志と違うてしもた」との、一言居士、松見守道の寸鉄に云いつくされたとおりである。己に背いたゆえに、全てを失った。あれから二十二年も経つ。いま、六十四歳で、落ちた崖を這いあがろうにも、間が空きすぎている。星雲の志は遠く去り、老年の夢は浅い。「ヴァレンヌ」の体験でさえも未発表のままできた。そもそも、一か八かに賭けた「ノストラダムス」も、どこまで真意を理解されたことか。これに加えて、いま、「マリア」などと云ったら、誰がまともに聞いてくれよう。とうとう頭にきたと思われるのが関の山だ。

たしかに、これらは、幽事である。ただ、自分は儒学者ではないから、怪力乱心と云って済ますわけにはいかぬ。学問の対象とするには遠かろうが、そこでは霊性の次元が深く歴史の次元と交叉しているかもしれない。その交わり具合を突きとめたい。ひとり霊山の頂きへと向かう登山者のようなものだ。霧の中に、先の見えない一本の小径が切れ切れに伸びるのを、ぼんやりと視つめるのみ。

永別離のつもりで、下町大空襲で生き別れになったままの二、三の竹馬の友を探し当て、歓送会場に招いていた。

中に、幻の少女として心にかかってきた国民学校の同級生があった。互いに九死に一生を得て焼け跡で再会したが、その後どうなっただろう。ところが、歓送会の会場で、瀧澤和子でございますと名乗りをあげた女性が、半世紀の間に、往年のつややかな黒髪から見事な銀髪に一変しているのを見て、わが身の老残ぶりをも忘れて私は狼狽した。しかし、運命は、のちに二人を憂国活動で結びあわせることとなる。『めぐりきて蛍の光』という深川恋しの一代記に物語ったとおりである。

いずれにせよ、いったん「永住」を決意したにもかかわらず、結局のところ私は、マリア巡礼の長旅のあと、ある啓示を受けて半年後にまたも日本に舞い戻ることとなる。歓送してくれた諸友には小っ恥ずかしいかぎりだったが。

奇しくもそれは、旅の終わりにピレネーの麓で出遭った一人の恐るべき女霊能者の予言と一致した結果となった。かねて自分の前世ではとひそかに疑っていたある秘密をも指摘され、また、近未来をも予告された。前世はともかく――確認のしようがない――、近未来は完全に透視されたとおりとなる。「第八巻」で語られることとなろう。

*

そのような帰趨になるとも知らず、パリへと旅立った。

フランス政府は、「大証人」という資格で、礼を尽くして迎えてくれた。マルローと日本の契りの目撃者という意味でなら、たしかに熊野・伊勢路の出来事について、私は唯一の生き証人に違いない。かつて、コレージュ・ド・フランスにも招かれて、「アンドレ・マルローと那智の滝」の演題で、巡礼マルローの身に起こった日本の奇蹟を物語った。それにしてもフランスが、今回、晴れて国家行事にそのような資格で招いてくれたということは、マルローと日本の契りの意義がいまや天下に明らかになりつつあることの証左であろうかと、何よりそのことが喜ばしかった。

エール・フランスの機中では、日本から帰るシラク大統領夫人や、現文化大臣、ドゥーストブラジ氏らと同席だった。

パリでは、パンテオン入りの儀式に先立って、エリゼー宮の昼餐会に招かれた。ピエール・メスメール首相の隣に坐らされた。首相は、そっと、こう私に打ち明けるのだった。

「実はね、マルローをパンテオンに祀るようにシラク大統領に進言したのは、わしなんだよ。去年のことだったが」

食事が終わって、サロンで大統領と語り合う機会があった。私は質問した。

「あなたは、閣僚会議で、何度、マルローと同席されましたか」

すると、エリゼー宮のホストは、大柄な体を伸ばし、右手を高く上げて、満面笑みを

たたえながら、

「なにしろマルローはこのような大大臣で……」

と応じ、つぎに身をかがめ、その手を低く下ろしてこう云った。

「いっぽう、自分は、こんな小大臣にすぎなかったから、閣僚会議でお目にかかれたのは、たったの二度でした」


パンテオン奉祀祭が挙行されたのは、その夜のことだった。

棺のかたわらで弔辞を読む大統領を挟んで、向こう側の桟敷に政府高官の席があり、こちら側に私は坐っていた。紋付き袴の正装で坐るジャポネの様子を、真ん前からメスメール首相は注視していたらしい。翌日、国営テレビでマルローを偲ぶ鼎談があり、それに出ると、そこでも首相と隣り合わせた。こんどは背広姿のこちらの格好を見るなり、こう云われた。

「君は、昨夜のほうがずっと立派だったよ」

下着なしの民族衣装で震えながら頑張ったが、あながち無駄ではなかったらしい。

「マリア学」事始め

パリはサン・トノレ街に居を定めて、マリア顕現地めぐりの準備に取りかかった。

オペラ通りのマルロー広場からその街に入ると、すぐ右手に、名が体を表すような牢固たるサン・ロック教会が立っている。前庭の石段が高い。大革命後、教会を占拠した王党派に向かって、砲兵士官ボナパルトが大砲をぶっぱなし、石段は屍体で埋めつくされたという。その前を通りすぎて教会の外壁添いに右折すると、露地のすぐ左側にホテル・サン・ロックという小ホテルが立っている。旧友オリヴィエ君の家から間近なので、来仏のたびに定宿としていたが、今回もそこに旅装を解いた。

さっそくにも「永住」のための家捜しを始めねばならないところだが、かねてからの好奇心で気は逸(はや)った。そこで、手始めにサンジェルマン界隈の大きな書店に入って「マリア顕現の関係書」を物色した。指示されたコーナーに立つや、息を呑んだ。なんと、壁面全体が類書に埋めつくされていたのだ。大人が両手を広げたほどの幅の本棚が、上から下まで、びっしりと――。日本でよく何々が「社会現象化した」といわれるが、それどころではない。十九世紀以来、世界中で二百件以上の重要目撃現象が起こっているということは、ほとんど普遍化とさえいえるのではなかろうか。

日本でも有名な出来事が起こった。そのことを綿密に綴った安田貞治神父の『秋田の聖母マリア』仏訳書も書棚に並んでいる。安田神父とは、かつて私は一度、手紙を交わしたことがあった。

ショックを受けながら何冊か買いこみ、ホテルに篭もって耽読する日が続いた。日本から遠く見ていたかぎりでは分からなかった絵図が、ジグソーパズルのようにだんだんと形をなしてくる。

自分はクリスチャンではないから、「プロヴィデンス」（摂理）といった言葉は使いたくないが、近現代に起こったマリア顕現の諸現象を見ていくと、どうしてもそこに何物か超越的な意思の一貫性といったものを感知せざるをえなくなってくる。

そしてその、人類史への介入と――。

介入？　まさか！　だがそれが、この怪奇現象の極みなのだ。

近現代とは、この場合、一八三〇年以後を意味する。

その年、パリのバック街で、一人の修道尼に「奇蹟のメダル」の呼び名で有名な顕現が起こったのが最初だった。つぎに、一八四六年、アルプス山中のラ・サレットで二人の牧童への顕現が起こり、続いて有名なルルドの奇蹟となった。さらに、ブルターニュ州のポンマンという寒村で、六人の童に、空中に浮かぶマリアとそのメッセージの驚異が生じた。二十世紀に入ってからは、かのポルトガルのファティマの大事件が起こった。これらはすべてヴァチカンによって公認された。

世にいうマリア顕現とは、「メッセージ」(予言)と、「ヴィジョン」と、「奇蹟」の三現象で成り立っている。

顕れたマリアは、近い将来に国民や諸民族に災厄が近づきつつあることを告げる。かたわら、まるで映画でも見せるようにそのような戦慄的光景を見せる。そのうえで、改悛と和解に人々がつとめるならば不幸は克服できるとして、祈りと行動をとるように勧め、最後に、これを信ぜざる人々を説得するために種々の言辞に絶する超自然的奇蹟を示す——しかも、白昼、万人注視の戸外で——という三段階のプロセスである。

マリア予言の内容は時と場所によって異なっている。にもかかわらず、全体に、一本の変わらない太い筋が通っているようにみえる。端的に云ってそれは、唯物主義思想の拡散の脅威と、その病巣たる「ロシア」(当時、ソ連)——と明瞭に何度も名指しされた——の脅威への警告であり、またそれを超克せよとの激励であった。

稀な例外を除いては、インテリ相手にこうした神異が示されることはなかった。その理由は想像に難くない。顕現現象の多くが、穢れなき、先入観なき——しばしば文字も読めない——牧童や少年たち相手に起こっているのだ。しかるに、伝えられるメッセージは、彼らの頭では到底理解しがたい高度の内容のものであることが多い。

アルプス山中のラ・サレットでは、マリアは、高原に羊を飼うわずか十三歳の少女と十歳の男の子に顕れ、やがて「悪書」が地上に溢れるであろうと予告し、警告している。これが何のことか、文盲の童に分かるはずがなかった。

同じことが、のちのポルトガルのファティマの牧童たちにも起こった。そこに顕れたマリアは、なんと、このような言葉をさえ発しているのだ。

「西洋は、まるで自分が創造主であるかのように文明を進歩させている」と。

一九一七年の時点において、後世の一流の思想家が口にするような高度の文明批評が、十歳以下の三姉弟相手に託されているのである。

そして、ラ・サレットでも、ファティマでも、またその他の多くの顕現地でも、予言と同時に、未来に引き起こされる諸民族の苦難と流血の恐るべき光景が「ヴィジョン」として示される点でも共通であった。

ところで、重要な一点は、この種の予言のタイミング――「時縁」――である。

ラ・サレットでは予言は一八四六年九月十九日に発せられた。「悪書」の意味は、その二年後、マルクスの『共産党マニフェスト』が出版されたことから、後世、明らかとなった。

それにしても、アルプス山中の、何もない高原の二牧童に、なにゆえこれほどの重要メッセージが託されたのかと、首をかしげざるをえない。これはどうしてもその場に立って感じてみなければならないと思った。ラ・サレットとポンマンは、ぜひとも我が巡礼コースに加えることとした。

十九世紀に起こったラ・サレット、ルルド、ポンマンの三事件にもまして重要なケースが、二十世紀初めのポルトガルのファティマの例である。同じく荒寥の地で、三人の幼い牧童にマリアは顕現した。第一回の顕現は一九一七年五月十三日に起こり、これは世界的センセーションを呼んだ。連続継起し、時を追って野山を埋めつくす大観衆によって空中の奇蹟は目撃され、「ファティマの予言」は、長女ルチアによってローマ法王に伝えられたからである。ずばりそれは、ロシアに革命が起こり、多民族がそこから大苦難を蒙るであろうということ、そして人類は第一次大戦についで第二次大戦に見舞われるであろうということだった。すべて的中を見た。第一回目の顕現と予言直後、ロシアにボリシェヴィキ革命――「十月革命」――が起こり、事の信憑性を不動たらしめた。ファティマでの予言・ヴィジョン・奇蹟こそは最も恐るべきものだった。流血淋漓の地獄的光景を幻視して三人の童子は震えあがった。長女のルチアのみが生き延びて、マリアの指示に忠実に従って、歴代ローマ法王に粘り強くはたらきかけた結果、ついにヨハネ＝パウロ二世を介して「ロシアを無原罪の心（マリアの聖心）に回心せしめる」ことに成功した。

七十三年間にわたって地上の一半を制覇したソ連帝国は、ついに潰滅した。ノストラダムス予言とこれは一致し、一部の識者の指摘するとおり、両者の間にある種の連関性を見いだすことは間違いないと云えそうである。

いずれにせよ、二十世紀を頂点に、人類史上前例なき「見える世界」と「見えない世界」の間にこれほどの相剋が繰りひろげられていたとは、われわれ日本人はほとんど預かり知らざるところだったのである。

一般に、顕現するマリアは、政治的なことは云わない。

ファティマでも、「ソ連」とも「共産主義」とも云ったわけではなかった。「ロシアを回心させよ」と云ったまでである。あるいは、「ロシアを（聖心に）奉献せしめよ」と。

「回心」（コンヴェルシオン）、「奉献」（コンセクラシオン）という用語が頻々に出てくる。

ローマ法王にはたらきかけてこれを実現せよと、マリアはファティマの少女ルチアに繰りかえし説いた。どんな「法王」かという具体的指示はなかった。のちにコインブラのカルメル修道会の修道女となったルチアは、これに従って、実に六人もの法王に順にはたらきかけて倦むことがなかった。一九三〇年代からは、聖母は、いよいよ切迫した調子で「ロシアの奉献」をと迫った。これに対してピウス十一世とヨハネス二十三世は拒否を示し、ピウス十二世、パウロ六世は受け容れて、八回も「奉献」を繰りかえした。だがその効果はなく、それは「マリアさまが望むように行われていないから」とルチアは厳しく訴えた。ヨハネ＝パウロ二世に至って、ついに天意の達成を見たのである。

だが、それとても容易な道のりではなかった。

ヨハネ＝パウロ二世とファティマの関係はまことに只ならぬものだった。最初の顕現の起こった一九一七年五月十三日から六十四年目の「五月十三日」に、法王は、ヴァチカンのサン・ピエトロ広場でトルコ人青年アリ・アジャによって狙撃された。九死に一生を得るとともに、それが「ファティマの日」に当たっていたことから深い暗合を感じて、病床でルチア文書を精読し、そこから初めてマリアの召命に答えるべく立ち上がったのだった。

そもそもヨハネ＝パウロ二世は、本名カロル・ヴォイティオワと名乗っていた青年時代から、祖国ポーランドを支配するソ連への抵抗運動に挺身し、投獄も経験した生え抜きの戦士である。詩人、劇作家として活躍し、カトリック教徒としては、司祭、司教、枢機卿と出世をとげ、一九七八年に東欧出身の最初のローマ法王となるや、その多大のカリスマ性をもって世界的影響力を発揮する。ために、明らかにこれを恐れたクレムリンの指示によって一命を狙われたのであった。

「ファティマの予言」の中に「ロシアは回心し、最後は我が心が勝利するであろう」とあることに法王は感激し、その勝利の実現の使命をこそ自分は負っているのだと自覚した。銃弾二発を受けながら辛くも一命を取りとめたのはひとえに聖母の加護と、退院後、サン・ピエトロ広場に姿を表して、歓呼する大群衆に向かってこう述懐する。

「この驚くべき母性的加護は、死の投擲（とうてき）よりも強かったのです」と。

以後、法王は、いつの日かファティマを訪ねて、顕現の姿を象（かたど）った白衣の聖母像の前に額づきたいとの熱望に駆られる。「われもまた、一個の巡礼、一個の異邦人なり」として。

願いは、狙撃された翌年の一九八二年「五月十三日」を選んで早くも実現された。

その日、歴史的顕現の地に法王を迎えて、いかに全カトリック世界とポルトガル国民は熱狂したことか。聖地となった往年の寒村、「ゴヴァ・デ・イリヤ」の丘上に立つ大十字架の前で法王が祈り、ついで、かたわらの、まさに顕現のスポットである小さな礼拝堂で熱禱をささげ（四十五分、そこで跪き、側近から促されるまで動かなかった）、修道尼ルチアと劇的な邂逅をとげた。さらには、マリアにささげる感謝のミサを挙げ、「大慈大悲をもって悪を打ち砕かれんことを！」と訴える切々たるメッセージを発した。

こうした記録を読んで私は感動させられずにいなかった。その高い聖性をもって世界中の人々に敬慕されたほどの方が、一介の元羊飼いの少女の叱咤に素直に従って究極のアクションを取ったのである。

「奉献は、聖母がお望みになったようには未だなされてはいません」

との一言に動かされて――。

「マリアの名においてロシアを聖心に奉献す」とは、ソ連解体の意にほかならない。そう聞いて驚いたのは、法王の取り巻きである。ソ連の指導層から挑発と取られることを恐れて法王を諫止し、法王自身、行きすぎかと反省しかけたところで、世界中から賞讃の声が返ってきた。それも、東西両陣営からである。

「聖年」の終わり、一九八四年三月二十五日の受胎告知記念日の放送が終わるや、東欧圏のギリシア正教の司祭たちから、「友情の道ありと知って」法王の膝下に参じますとの反応が伝わってきた。翌一九八五年には、ソ連共産党書記長ゴルバチョフが、「ペレストロイカ」準備過程でポーランドを訪ね、大統領ヤルゼルスキーと会って、「比類なき人物にして偉大な平和愛好家ヴォイティオワ（現法王）」の噂を聞かされる。この人物となら東西共存、核廃絶でさえ夢ではないとゴルバチョフは胸を躍らせた。

ましてや自由世界でのヨハネ゠パウロ二世の名声は留まることを知らず、同年、アメリカのレーガン大統領は、ポルトガルを訪問して議会演説を行い、そこでこう絶讃を呈した。

「瀕死の重傷を負ったにもかかわらず、数年前、ここポルトガルを訪れたある御方ほど、人間的尊厳の真理を世界に喚起するにふさわしい人はありません。かかる典型的人士の中にこそ、そしてあのファティマの牧童たちのような素朴な人々の祈りの中にこそ、世界中の大軍隊と元首たちを合わせた以上の大なる力が存すると称して憚りありません」

二年後、ゴルバチョフのホワイトハウス訪問となって、核軍縮協定は調印された。

その間、ヴァチカンとクレムリンの間の親交は深められていった。法王は使節団をモスクワに送って、代表の枢機卿をとおして親書を手渡し、次の三点を承認させたのである。

「ヴァチカン聖庁とモスクワ間の国交修復と、ソ連圏内の全信徒の信仰の自由と、ギリシア正教世界のカトリック信徒の存在の合法化」とを。

特に第三番目は、ヨーロッパ、ひいては世界の政治的東西分裂の元となった一千年前のキリスト教「大分裂(シスモ)」以来の懸案への決着にほかならないものであった。

そして、ついに、「真に驚嘆すべき出来事」（ミハイル・ゴルバチョフ）が生じた。一九八九年十二月一日、ゴルバチョフ夫妻のヴァチカン訪問が実現されたのだ。万人が認めた、あの素晴らしい微笑を浮かべてゴルバチョフは、真っ赤なドレスを着たライサ夫人にこういうのだった。「この地上で最も偉大な道徳的権威の御方を君に紹介するよ。しかも、この御方は、スラブ系の人なのだよ――われわれと同様に」

この歴史的会見についてのヨハネ=パウロ二世の感懐は、次のメッセージの一言に尽きるであろう。

「時の徴(しるし)は、いかにゆっくり実るとも、未来にとって豊饒なる約束をもたらすものであります」

「ゆっくり」とは、法王にとって、一九一七年五月十三日以来の七十二年間を意味するものだった。銃弾を受けてから二年後、ソ連崩壊――「ロシアの回心」――をもって、まさに「時の徴」は実ったのだ。

ここまで事を詳かにしたとき、私は、驚異の念に打たれて心に叫ばずにいられなかった。

この「時の徴」の実りとは、ソ連崩壊が「一九九一年六月」なりとして告げた、あのノストラダムス予言と、まさに結果的に一致している。ということは、ずっと後世のラ・サレットからファティマに至るマリアのメッセージと根源的に一直線上につらなる意義を持つものだったのではなかろうか、と。

とすれば、やはり「聖霊のはたらき」によるものとすべきか――。

浅草寺の影向堂

ホテル・サン・ロックの一室は、いまや私にとって啓示の場となりつつあった。ホテルとて、莫迦にはならない。スウェーデンボルグは、ロンドンのホテルの一室で聖霊に導かれ、そこから天界に入った。もっとも、愚生ごときは、そうはいかないが。ブエノスアイレスのホテルで悪霊に襲われ、危うく取り殺されそうになったのが関の山である。それでも多年、自分なりの直覚を信じて手探りしてきた結果、今度の探索をつうじて、どうやら闇中に一条の光明を見いだすところまで行き着いたか否か、といったところ――。

といっても、「マリア顕現」なるもの、つまりは異国の神話であり、果たしてそれがどう自分に、いや日本にかかわるのか、未だ、まったくの五里霧中だったが。

ただし、神話とはいえ、過去ではなく、いま現に生きられている。「ファティマの秘密」との深い関係に入ったヨハネ＝パウロ二世にしても、一九九七年三月の現時点において七十七歳のかくしゃくたる現役ローマ法王である。摩訶不思議なマリアの要請にこたえて、ゴルバチョフを動かし、「ロシアの回心」とソ連の民主化をまんまと成功させた。（ノーベル平和賞を受けたのはゴルバチョフだったが）。しかもそれで終わりかと思いきや、とんでもない。サン・ピエトロ広場で狙撃された一九八一年五月十三日からちょうど十年目の記念日に、法王はファティマを再訪し、感謝のミサを挙げて、こんなメッセージを発しているのだ。

なんと、すでに冷戦後の世界を見据えて、である。


思いがけない変化がもたらされたことから、あまりにも長いあいだ抑圧と屈辱を蒙ってきた人々にふたたび希望が生まれるに至りましたが、しかし、この変化から、いまや新たな困難が生まれつつあることを自覚せねばなりなりません。何かと申せば、マルクス主義に代わって別の形の無神論が存在するということであります。

それは、自由を謳歌しつつも、キリスト教的、人間的道徳の破壊に向かうものにほかなりません……

これを知って私は驚愕を新たにした。

なにしろ、一九九一年五月十三日という日付に注目せずにいられない。それは、エリツィンがロシアの新大統領に選出され、ソ連崩壊とともに、代わって「独立国家共同体」の誕生となる一ヶ月前のことだったからだ。その時点において法王は、すでに「冷戦後」の思想状況をかくのごとく見透して、警告を発していたのである。

実際に、日本においても、その後、旧マルクス主義者の残党が如何に巧みに変身して社会各層で「保守」を演じてきていることか。明らかに二十一世紀は、米ソ対立の時代以上に「敵」を見定めがたい局面に入った。唯物主義は多様化し、国際機関にもウィルスのように取りついている。日本が世界的に拡散された「反日」の呪いを脱しきれないのも、要はそのためにほかならぬ。

ともあれ、マリア顕現という純粋に霊性的次元の出来事が、ヴァチカンをとおしてかくも歴史的次元と白熱的にショートしている実態を知って、まことに只ならぬことと私は衝撃を抑えることができなかった。

神話ではなく、そのアクテュアリティに――。「幽」と「顕」の二つの次元が、現代ヨーロッパの中枢でかくも盛大に火花を散らしていようとは！

日本にこの種の出来事が伝えられれば、よくて「宗教」、「神話」、「神学」、下世話にはただ「心霊」現象として片付けられるのが落ちであろう。テレビでバラエティショーの慰みものになって終わるのは目にみえている。

自由世界は、「政教分離」と憲法で規定して事足れりとしている。だが、それだけでは、「政教一致」のイスラム世界に対応することはできない。イスラム世界を前にしたとき、唯物主義文明とは、われわれの側なのだ。二十一世紀の乱闘はこの亀裂から始まった。

宗教的次元をこえたマリア顕現のアクテュアリティとともに、私は、その客観性にも注目させられた。

もはや、科学の扉をさえ叩いている。

日本では只の幻想として片付けられがちなこの超自然現象が、フランスでは、れっきとした科学的研究の射程に入っている状況に、目を見張った。

歴史、社会学、文化人類学などのジャンルで堂々と扱われている。信ずる信じないは別として、何百何千万の人々を引きつけ、ローマ法王をとおして現代史にも関与した現象を、只の集団催眠術ないしヒステリーとして片付けることはできないとの、むしろ、まっとうなリアリズムの立場である。

厳格な審査で有名な出版社、ガリマールから出た、その名も刺激的な『聖母の戦争――顕現の文化人類学』と銘打った分厚い研究書を手にして、私はむしろ呆気にとられる思いだった。これまた、日本で考えられようか。著者のエリザベット・クラヴリー女史は、錚々たる国立科学研究センター（CNRS）の研究指導官である。のちに彼女は、別の一書、『ルルドの世界』の翻訳をとおして日本でも知られるに至った。

「聖母の戦争」とは、いみじくも云い切ったり。

一見、おどろおどろしい呼称だが、けっして大げさではない。のみならず、本質を衝いている。

同書は、一九九一年――かの「一九九一年」！――のソ連解体後に旧ユーゴ連邦のボスニア・ヘルツェゴビナで起きた激烈な内戦の渦中に、著者みずから飛びこんで、その間に連続継起したマリア顕現について調査した生々しい記録である。内戦は、「クロアチア共和国」と、同国に侵入した「セルビア共和国」の間で起こった。前者はカトリック系、後者は一部イスラム教の混じったギリシア正教系である。凄惨目を覆う民族浄化と多数難民が生じ、ついに一九九四年、NATO軍と国連軍の介入による対セルビアの全面戦争へと発展した。

セルビアと国境を接するクロアチア勢力圏の、「メジュゴリエ」という寒村で、戦争に十年先立って最初のマリア顕現は起こった。その場と年代が後に深い意味を持ってくる。正確には、一九八一年六月二十四日、六人の十代の若者が丘上にマリアを見たのが最初だった。マリアは彼らに対セルビア戦争の大惨劇を予言し、「平和を平和を！　和解せよ！」と訴えた。しかし、十年後に戦争は勃発する。その間にもマリアは毎日正確に午後六時四十五分に姿を表し、幻視者の一人々々に「世界の未来にかかわる十の秘密」を伝授し、時には映画のように未来光景を見せた。この点、ファティマの奇蹟と酷似し、ここからヨハネ＝パウロ二世の注意を引くに至る。

メジュゴリエにおいても、予言的メッセージとともに霊癒の奇蹟が生じ、フランス・イタリアの合同医療チームが結成されて現地で対応に当たったった。最初の顕現から三日後には早くも一万人が集まり、NATOによる空爆のさなかにも世界中から巡礼団が延々と列をなして押し寄せ、二千万人もの膨大な数に達した。メジュゴリエでカトリックに回心した人は百十万人以上に上り、これはルルドをも凌ぐ数だった。そこで懺悔する人数は世界記録を達成し、対応する神父は一日に百五十人を動員してもまだ足りないほどだった。

かくして、「メジュゴリエ」の名は、いま現に現代史における進行形の奇蹟として、ファティマについで世界的となったのである。

*

マリア顕現のアクテュアリティと客観性は、ざっとかくのごとくである。

しかし、知るほどに、私の中では根本的な疑問がより深まっていった。

——なぜ西洋ではこんなにも多くのマリア顕現がいまなお起こるのか、

——こうして顕れるマリアとは、いったい何者なのか、

——顕れるマリアは、フィジカルな存在なのか、

等々である。

もちろん、こうした問題は多くの専門家によって各分野から論議されてきている。しかし、私の場合は、これに「日本と比べて」という視点が加わった。「観音さま」のことがいちばん思いだされた。

慈悲の女神という意味では、観音菩薩は東洋の聖母マリア、聖母マリアは西洋の観音菩薩と云ってよかろう。実際に、かつては日本でも観音は、津々浦々に顕現し、種々の霊験を顕した。平安・鎌倉時代の絵巻には豊富なその事例が魅力的な絵巻物となって伝えられている。また「中世寺社縁起」のような記録には、観音の示現から神社仏閣の創建に至ったという由来が無数に記載されている。しかし、日本では、こうした出来事はもはや昔語りでしかなくなった。


どうして日本では……と考えているうちに、記憶の奥底から、ポンポンという蒸気の音が聞こえてきた。

目に浮かぶ隅田川の流れから。

と思うと今度は、浅草寺の境内が見える。

その一角に立つ、小さな御堂……

戦前の東京の深川育ちの私は、幼時、祖母に連れられて、木場(きば)の桟橋から「ポンポン蒸気」に乗り——ちょうど船賃が八銭から十銭に値上がりしたころだった——、ゆったりと隅田川をさかのぼって、よく「観音さま」にお詣りに行ったものだった。

雷門に向かってすぐ右手の角に玩具店があって、そこで丹下左膳の白鞘(しらさや)の刀を買ってもらったりするのが嬉しくて、いつもおとなしく付いていった。それから戦争があり、大空襲があった。辛くも私は生き延びて、あるとき、米軍占領下に復興した観音さまにお詣りに行った。玩具店も元の場所に復活していた。仲見世通りの右手裏に出ると、そこは殺風景な剥き出しの地面が広がっているばかりだったが、中程に、ぽつんと、かつて見たままに、小さな木造の御堂が残っていた。

近寄ってみた。

「影向堂（ようごうどう）」と書かれていた。

そうだ、「影向」という言葉が当時はまだ生きていたのだ。

これまで、マリアについて「顕現」と云ってきたが、これは「アパリション」の訳語である。「出現」でもいい。だが、日本の神仏については、「影向」という美しい古語があったのだ。

しかも、ついこの間までは、そこに参籠すれば観音菩薩が影を、姿をあらわすという素朴な空間が生きていたのだった。

と、過去完了形でいうのには、実はわけがある。そのような聖なる空間が、あるときから、ぱったり、見えなくなったからだ。

それは、台東区が、毎年、ブラジルから踊り子たちを呼び寄せて、雷門まえでカーニバル風に豪勢なサンバの行進をやらせたときと同時期だった。生ける豊満な異国の女神たちを前に、見えない世界から顕れる日本の女神は、恥じたように消えていった……。

ベルナール・フランクの往生

「影向（ようごう）」……

ほかにも、「来迎（らいごう）」という言葉がある。

平安時代の仏画には、『二十五菩薩来迎図』や『山越阿弥陀図』など、大光明につつまれて静々と「お迎え」に顕れる超越的存在が玲瓏として描かれている。

パリでマリア顕現地めぐりを準備しながら、改めて周囲を見回すと、死に対する西洋人の意識がこうした日本的霊性に近づいてきたように私には感じられるところがあった。一言でいえば、「彼岸（オードラ）」が、以前のように此岸から完全に切り離されてはいないという認識が強まってきたということである。ほかならぬマリアの顕現現象は、その一端を暗示するもののように思われた。

ホテルに篭もってマリアの顕現地めぐりを準備しているうちに、いつしか三月に入った。あれはいつのことだったろうか、ベルナール・フランク邸に伺ったのは。

中世日本仏教研究の権威であるのみならず、仏教の真義を内面から深く生きた学徳兼備の偉人として、この方に私は尽きせぬ畏敬を抱いてきていた。再会を楽しみにしていたが、マルローのパンテオン入りの二ヶ月前に日本で訃報を聞いた。

「パンテオン」という言葉そのものが奇しき因縁のように思い返されてくる。かつて、パリのヌイイのお宅に伺ったさいに、密教の「諸尊」という言葉を「仏教パンテオン」と訳してよいものかどうか迷っていますとフランク氏から打ち明けられたことが、強く記憶に残っていた。ギメー美術館の仏像コレクションを、「立体曼荼羅展」として日本で紹介しようとしておられたころだった。私も翻訳家の端くれだから、この種の悩みの尊さはよくわかる。前記のごとく元々ローマの「万神殿」を意味する「パンテオン」を、果たして仏教の「諸尊」と訳していいものかどうかと、氏は迷っていたのだった。

ベルナール・フランクといえば、マルローを那智の滝に「送った」奇特の士である。また私にとっては、氏が日本文明首座をつとめるコレージュ・ド・フランスで「マルローと那智の滝」の演題で講義させてくださった学恩大なる方である。万感を胸に、ヌイイのお宅に伺った。

フランク夫人で画家の佛蘭久淳子は、すぐ、故人の書斎に招じ入れてくれた。生前のままに全てが保たれている。目の前の書架に小さな厨子が置かれ、そこに勢至観音菩薩の小像が収められたのも、そのままだ。その前で、九年前、フランク教授は、私の講義草稿を一頁ずつ丁寧に目を通してくださったのだった。

「古都の五大寺が、合同で、ベルナールのために法要を営んでくださいまして……」

東大寺、東本願寺などが相寄っての壮大な仏事であったと、夫人は語ってくれた。真言宗本山の東寺からは、開祖弘法大師の名をとって「金剛ベルナール・フランク遍昭」との諡（おくりな）まで授けられたという。

さもありなん、と思う。

ベルナール・フランクの貢献は、それほどまでに大きかった。パリ最大の東洋美術館として有名なギメー美術館の地下に眠る膨大な日本の仏像を、すべて図像学的に解明し、殊に二つの発見で斯界を揺るがした。一つは、愛染明王像の胎内から二つの仏舎利を発見し、それぞれ弘法大師と鑑真和上によってもたらされたものであると由来を詳かにした。もう一つは、それまで出所不明の中国製ブロンズとして片付けられてきた彫刻を、その比類なき繊細さに打たれて調査した結果、行方不明とされてきた法隆寺の勢至観音菩薩像であることを突きとめた。かくて、国宝金堂の西の間の阿弥陀三尊は完全な姿に復元されるを得たのである。

偉業に違いない。

だが、学問的業績だけではなく、その研究対象とする「仏界」――さらに華厳経をかりて云えば「法界(ほっかい)」――に彼自身がどう入ったか、そのことを私は知りたいと思った。

現代の学者は、立派な家を建てて、自分はそこに住まず、脇に住んでいるようなものだと、つとにニーチェは辛辣な批判を下している。「彼岸」について、この言葉は一段と真実味を帯びる。生きている間は、われわれはどのようにでも問題を堂々めぐりできる。だが、いつか、自分自身の死と向き合ったとき、仮説を並べるだけで済むだろうか。白道(びゃくどう)は、おそらく、有り無しをこえて真っ直ぐに一本通っている。

ベルナール・フランクに即していえば、そもそもこの方は若き日に、ラフカディオ・ハーンに引かれて来日することから人生を生きはじめた。つまり、その詩人的体質から して、抒情的に、幻想的に、日本の異界に憧憬することから――。「お化けの研究家」として新聞に書かれたりした。お化け、大いに結構。霊性の世界は、その裾野が広く、むじなも、のっぺらぼうも、そこに棲んでいる。だが、そこから遙かなる頂上に至ってご来光を見る人は稀である。

ところが、両次大戦間、一九三〇年代に、欧米間で、日本の浄土信仰が知られるようになった。何よりもアッシジの聖フランチェスコの信仰との近似性が指摘されて、思想界が少なからぬ影響を蒙った。若きマルローはその一人だった。ベルナール・フランクはある意味でその後継者となった。

このような「大徳(だいとこ)」が、自らの死に直面して何を見たか——それが私にとっては謎だったのである。そこで思い切って夫人にこう尋ねた。

「フランク先生のご最期はどのようでしたか」

答えは感動的だった。

「光しか大事でない、光が欲しいと云っていました。死について語りたいとも申しましたが、枕辺の弟子たちからは粛として声がありませんでした……。すると、一人の密教僧がひょっこり現れたんです。ブルゴーニュ地方に真言宗フランス光明院を建てた融快和尚で、本名はビヨーというフランス人です。ベルナールは、それはもう喜んで……」

夫人の目からは涙が止めどもなくしたたり落ちる。

私たちは、サロンに移って話をしていた。いま彼女の坐っているブルーのソファで、故人は、小泉八雲の「むじな」を、声色たっぷりに朗読して聞かせてくれたものだった。

「つぎはいつ来ましょうかと和尚が聞くと、十日後にとベルナールは答えました。十日後に融快さんがみえると、セ・パルフェと云い、一時間半、般若心経を聞きながら眠るように逝きました。本当に、ノーブルな顔でした……」

「セ・パルフェ」とは、フランス人の常套語である。パルフェ、英語でパーフェクト、完全の意味だが、「これでよい」程度の軽い意味で使われる。しかし、フランク先生が、十日後の臨終を自ら暗示し、実際に仏人僧の読経のうちに息を引きとったことを考えると、そんな単なる常套句とは思えない。全人生を集約しての大円境地的な表白にほかなるまい。

問題は、しかし、そのとき、何を見るか——である。

不謹慎ながら、私はそのことにこだわった。

いったん蘇生した我が友、松見守道が語ってくれたところによれば、光の乱舞する宇宙をどこまでも飛んでいったということだが……

俗に、誰それは「大往生をとげた」という。しかし、その真義については人はあまり考えない。フランスの弘法大師と讃えられたベルナール・フランク氏の場合は、いかに——。

こう考えて、しばし黙考していると、付けたりといったように夫人は小声で云った。

「実は、息を引きとりぎわに、かすかに脣が動いて、もうひとこと、こう洩れたのです。エ、パ、タ、ン、と……」

おゝ、それこそは、私のいちばん知りたいことだった！

「エパタン」(épatant) とは、俗語で、「素晴らしい」、「凄い」といった意味だ。淳子夫人がそういうのを聞いた瞬間、私は、それこそ何らかの顕現――「来迎」――を見たことへの反応ではあるまいかと感じた。この「エパタン」は、先に仏人密教僧ビヨ師の読経を聞きつつ最後に「セ・パルフェ」と云った言葉の延長線上にあるものではあるまい。そこから、切り離されている。もはや、現世に留まって、こちら側の事象を述べた言葉ではない。幽明界の只中に立って、彼岸からの何物かの接近を見て発した間投詞にほかなるまい。それは何であったか。

まさに、大光明だったのではあるまいか。

今際（いまわ）の際（きわ）に、「光が見たい」と、金剛ベルナール・フランク遍昭は欣求した。

本願は成就されたのだ。

零戦とパリジェンヌ

ベルナール・フランクの入寂を知った翌日、感動醒めやらぬ思いで私は宿を出た。

テュイルリー庭園に向かって、サン・トノレ街を突っ切ろうとして、目を見張った。

サン・ロック教会の前を、赤ずきんちゃんたちが一列になって進んでくる。マントをすっぽりかぶった幼稚園の児童たちで、それぞれ、前の子のマントの後ろをしっかりとつかんで。まるで赤ほうずきが数珠つなぎになっているかのよう。

ジャンヌ・ダルクの騎馬像の脇を通る。

もはやキリスト教信仰が力を失った国ながら、殉教に至るほどの魂の垂直上昇性と、それを守るための戦いが、永遠にここにはシンボライズされている。これあるがゆえに、何があろうと、この国とわれわれ日本人は対話しうる。同じ「共和国」でも、北朝鮮相手ではこうはいかない。救国の乙女は、朝の斜光を受けて金色に輝き、彼女が解放したオルレアンの方角へと、誇らかに剣をかざしている。

その方向をまっすぐに突き進んでいったかなた、ヴェリエールの里に、いくたび私は「ジャンヌ・ダルクの館」へと、マルローを訪ねて通ったことか。歿後、はや二十年になる。《英雄に祖国は感謝》の銘を刻んだパンテオンに、いま、彼は眠る。

マルローもベルナール・フランクも、共に、どこの国よりも日本を愛した偉人だった、二人ながらに熊野古道をたどり、日本の垂直軸、那智の滝の前に立った。

テュイルリー庭園に出た。

いつもどおり大観覧車が回り、以前はなかった過激な空中ブランコの類がぶんぶん飛び跳ねている。

そこからセーヌを渡り、河岸の古本屋（ブーキニスト）で暫く時間をつぶしてから、カルチエ・ラタンに向かう。今日は午後四時に、ある女性とのランデヴーが取りつけてあった。

リュクサンブール公園の手前のカフェに、ほんの二、三分遅れてその女性はやってきた。

パスカル・ローズ。

一九五四年、サイゴン生まれ、四十二歳、私の娘のような歳かっこうだ。だが、その年――一九九六年――、ゴンクール文学賞を取ったばかりで、時の人だった。

授賞対象となった小説は、その名も『零戦（ゼロ）』である。

「パリのカフェは特別の時間である」とシャンソン歌手、ジョニー・アリディーは云ったが、どこよりも軽やかに出逢いを演出する。真冬の午後の柔らかな陽射しを浴びて、公園側の明るい入口に立った女性は、目ざとくジャポネの姿をみとめると、肩のあたりで切りそろえた髪を軽く揺すって、まっすぐこちらのシートに近づいてきた。

「ヴー・コネッセー・ナガツカ？（長塚を知っていますか）」

が挨拶がわりだった。

「畏友です」

と答えると、歯並びのいい微笑が洩れた。

色白の、くっきりとした目鼻立ちで、頬の線がやや鋭角的で美しい。

長塚隆二の『私はカミカゼだった』を読むか読まないかは、この国の一部の人々にとっては、三島についで、真正ニッポンを認めるか認めないかの踏み絵となっているようだ。彼女はそれを越えてきている。

「あなたのように」と私は云った。「戦後生まれの、しかもフランス人女性が、日本のカミカゼにそのように興味をお持ちとは、驚異ですね」

「血のせいかも知れませんわ。父は海軍士官でしたから」

そのことは小説でも語られている。

『零戦』では、ヒロイン、ローラの亡き父は、アメリカ人海軍士官という設定である。その父について触れることは一家のタブーだったが、ローラは執拗に問いつめ、父は、その乗り組んだ戦艦メリーランドが特攻機に突っこまれて戦死したという事実を突きとめる。ここからローラは夢中で太平洋戦記を読みあさり、「ツルカワ」という特攻隊員の日記にめぐりあう。そのために彼女の人生は狂ってしまう。幼時から内耳炎を患っていたその耳に、突入する特攻機の金属音がきりきりと揉みこまれる。

「ローラがそこからほとんど物狂いになっていく描写は圧巻です」

と私は云って、こう付け加えた。

「日本文学では、憑依現象はざらですがね。能の物語の大半は、それです。物着といって、シテ役——主人公です——が、ある物を手にした瞬間、変身してしまうのです」この一言は相手の興味をそそったようだった。

「まあ、面白い」と反応して、尋ねる。「で、ローラのどこが、そのモノ……」

「モノギ、です」

「……ウイ、そのモノギだったのかしら」

大きな目を輝かせ、手にしたカフェを皿に置いて返事をうながす。

「ローラが手にしたツルカワの日記です。そこから、凛々しい鉢巻を締めた特攻隊員が、夜な夜なローラの寝所に顕れるようになる。いまはこの世になき特攻隊員て、フランス女性と愛を交わすわけですね。熱愛のあまり、遠く離れた恋人が目の前に顕れて睦みかわすというストーリーなら、ジュール・ロマンの『プシケ』のような素晴らしい作品もありましたが、あなたの『零戦』の場合は違いますね。まったく縁もゆかりもない……」

「いえ、父を殺した敵という意味では縁がありますわ」

「なるほど。いずれにせよ、一念によって死者を復活させ、これを絶対の恋人たらしめるのですから。そのために、作曲家の恋人とも別れてしまう……」

パスカル・ローズは、瞬間、ややうつむいた。

当時、彼女は、劇作家の夫と暮らしていたが、翌年、離婚している。まさか、「ツルカワ」のせいでもあるまいが。

「日本では、幽霊と契りを交わせば必ず死ぬと云われています。溝口健二の『雨月物語』はご覧になったでしょう」

「永遠の名作ですわ。たしかに、あの魅力的な若い陶芸家は、女の幽霊に取りつかれて、危うく命を失うところでした」

「ローラも危ないところでしたね。でも、あなたの小説は、そうした怪談の類ではない。ツルカワは、ローラのアイデンティティなのだと思いますよ」

勝手にそう断定してよかったかなと思ったが、相手は大きくこっくりした。

「僕は、ローラが、周りの男子学生たちに失望して、いよいよ強く特攻隊員たちに惹かれていく心理過程に興味を持ちましたよ」

「十八歳になるやならずの日本の若者たちが、わずか四ヶ月の訓練を受けただけで、ただひたすら天皇に身をささげて死ぬために敵艦に激突する姿は、感動的ですわ。体当たりの最後の一瞬まで、しっかり目を見開いて。しかも、自らの死そのものについては語ろうとしない潔さに惹かれました」

「それにしても、フランス女性がそこまで見ているのかと、正直、びっくりしましたよ。戦後の日本では、反対に、特攻……、私共はカミカゼをそう呼んでいますがね、……特攻は野蛮だとさんざんに云いふらされてきましたからね」

「知っています。フランスにやってくる若い日本人にも聞いてみたけれど、肯定する人はほとんどいませんでしたから」

「パスカル・ローズさん」と呼びかけて、私は一歩踏みこんだ。「あなたがそこまで考えたということの裏には、やはり、サイゴン生まれということもあるのではありませんか」

彼女は驚いたようにこっちを視つめなおした。

「ローラが、つまりあなたが生まれたのは、ディエンビエンフーの陥落の二ヶ月前だったと書いておられるでしょう。いまどきの若者にそう云ったところで、ぽかんとするだけのことでしょうけれど、あれは、フランスにとって地獄の戦いで、その敗北からインドシナの植民地を手放したわけですからね。そのあと、アメリカが、ヴェトナム戦争を肩代わりすることとなった。現地のフランス人――入植者――は、本土ではありえない屈辱と混乱を味わったに相違ありません」

「私の生まれるまえのことでしたが、第二次大戦下、日本軍が進撃してきたことや、日本の敗北ののちまで日本兵が多数踏み止まってヴェトナム独立に挺身したという話も父から聞かされました。たしかに、本国の同胞とは違った目で私は日本を見ていたのだと思います」

そうだ、フランスは、日本が敗れたと知るや、再度ヴェトナムを植民地化しようと攻めこんできた。インドネシアを取り戻そうとしたオランダと同じ貪欲さで。しかし、日本の真の使命は、国破れて初めて始まった。パスカル・ローズは、そこのところが分かっているのではなかろうか。

店内の暖房がききすぎているようで、彼女はコートを脱いだ。肌が白いので、臙脂色のセーターに黄土色のスカーフがよく似合う。そのスカーフの上に、日本の中世の絵巻に出てくる姫君のように、長く切りそろえた髪——ただし黒髪ではなく淡い栗色の——が、さらさらと揺れる。

サイゴン生まれの親日家ということで私は、ルネ・セルヴォワーズ氏のことを思いだしていた。環太平洋フランス代表や駐インドシナ大使をもつとめた大物で、『日本——その理解の鍵』という名著の著者である。コレージュ・ド・フランスで私の講義を聞いたことから親愛感を寄せてくださり、お宅を訪ねていくと、挨拶がわりにこう云われて驚いたこともあった――「日本は、シナ、ロシア、アメリカの世界三大国を相手に戦った国じゃ。あっぱれ、あっぱれ！」

パスカル・ローズには、そこまでの入れこみはなさそうだが。

しかし、リベラルでないことは確かだ。

それも、一風、視点が変わっている。『零戦』にはマルクス主義者の歴史学教授も登場する。しかも、その教授は、「カミカゼは、日本人の自死の伝統の中に据えて理解すべきである」と説き、さらにこういうのだった。

「カミカゼの犠牲的行為の名声は、長く人々の心のなかで響きつづけるであろう」と。

そのくだりを指摘して私は云った。

「大義のための死を至高道徳として崇めている点では、左も右もありませんね。三島由紀夫の切腹に対する貴国の反応で、そのことはよく分かりましたよ。いずれにせよ、貴国では、もはやキリスト教信仰が衰えた現在でも殉教的意義が讃美されつづけていることに、僕はいつも大いに心を動かされてきましたよ」

ロングヘアが、ギリシア彫刻のように筋のとおった鼻梁にまでかかるのを、頭で一振りし、さらに左手で掻きあげながら彼女は答えた。アルトの声のかすれに、かすかな情念の高まりが感じられる。

「そう云えるのかどうか分からないけれど、ウガキの死についても、とても感動させられたんですの。天皇の放送（玉音放送）を聞いたあとで、宇垣纏(まとめ)海軍中将が、何機かの僚機を率いて沖縄沖に特攻突撃したということに、この上ない悲壮美を感じました」

「お作品の中で、宇垣提督の最期についてもあなたがそのように言及しておられるので、いよいよびっくりしましたよ。悠久の大義に殉ず——そのような言葉が戦前の日本にはありました。戦後は軍国主義として一笑に付されましたが。しかし、宇垣中将は、死後、非常な批判を蒙ったんです」

「どう批判されたんですか」

「息子を犬死にさせたと激怒した父親があったし、大命に背いたということで一時は宇垣は軍籍から除籍されかかったほどなのです。のちに名誉復権されて、死を共にした部下たちとともに靖国神社に祀られるに至りました」

ちょっと考える風で、彼女は云った。

「そう……、そういう事情は知らなかったけれど……。とにかく、死を決して、翼をつらねて、夕空に消えていった男たちの光景には、この上なく美しいものが感じられたのです」

「宇垣中将の最後の言葉は、武人としての死に場所をあたえてくれ、でした。あなたのようなパリジェンヌからそのようなオマージュを戴いて、以て瞑すべしでしょう」

しばらく会話が途切れた。

ガラス戸の向こう、通りをこえて、リュクサンブール公園の木々の間を、マロニエの葉が舞い駆けているのが見える。カフェの一隅……だが、どれほどの歴史の証人たちが、その枯葉のように、ここ、カルチエ・ラタンを駆け抜けていったことだろう。二十八年前の「五月革命」の騒擾……、『レ・ミゼラブル』さながらの、舗石をはがして築いたバリケードの上を火炎瓶が飛びかった光景の、私自身、目撃者だった。

そしていま、零戦が、サンジェルマン大通りの上を、こちらへと滑空してくる……

「それにしても」と、はっと気づいて私は言葉を継いだ。「ローラが、教室で隣の学生に、出来れば自分も宇垣のように生きたかったと告白する場面は強烈ですね。誰だって驚くでしょうよ。そしてこのあと、彼女がこう述懐する言葉が実に重要でした……」

私は暗誦した。


びっくり仰天した相手の視線のまえで、いかに自分が周囲の世界と無縁であるかを感じさせられるばかりだった。

しかし、私には、兄がいるのだ。飛びきりの兄が。

その兄はツルカワといい、私を待っていてくれる……

不意に自作を朗読されて目を丸くする著者に向かって、「そして結びの言葉はさらに衝撃的です」と前置きしてから私はフィナーレを語りきった。

父とツルカワの写真を並べて私は見入っている。

太平洋の底ふかく、死の中で二人は絡みあっている（……）

そして私は二人の間にいる。私は彼らの子供なのだ。

聴き終わると女流作家は、息を大きく吸って、一言こう云った。

「フランス人でもそんなに暗誦できる人はいませんわ」

「美しいフランス語ですから、誰だって覚えてしまいますよ」

と応じて言葉を継いだ。

「フランスは、隠れた日本に接近するときに、しばしば愛のかたちを取りますね。もう古典になりましたが、アラン・レネの『ヒロシマ、モナムール』もそうでした……」

「私の五歳のときでしたわ」

「僕は東京でフランス語の家庭教師をしながら観ましたがね。ヌーヴェル・ヴァーグということで騒がれた作品でしたが、本当にメッセージが伝わったかどうか。大胆な性愛描写ということばかり騒がれて。日本版の題名からして、『ヒロシマ、我が愛』と訳せばいいものを、『二十四時間の情事』などとされてしまっていました。実際は、死をこえての絶対愛というのが、アラン・レネ映画の基底音なのに」

「映画とは生ける墓碑なり、とレネは云っていますわ」

「アラン・レネとは、僕は、そうした問題をじっくり語りあったことがあるんです」

「まあ、本当に――」

それは、日本の出光美術館で《アンドレ・マルローと永遠の日本》展を私が企画し、パリのホテル・クリヨンに陣取って準備を進めているときだった。昭和天皇が来仏のさいに宿泊されたコンコルド広場前のホテルで、ここに投宿すれば世間の信用が違う。そんな作戦からだったが、たしかに居ながらにして思うように事が運んだ。アラン・レネに会いたいと思ったのは、なぜだったろう。そうだ、もちろん、日本をめぐる新製作の提案のためだった。当時、レネ夫人で、撮影の助監をつとめていたマルローの娘、フロランスの紹介で、会見は難なく実現した。

「現れた監督が、長身の素晴らしく美しい男性だったので、僕は感動しましたよ。昼食に招待したのですが、隣のテーブルではシラク大統領が食事中でした。レネは、一通の手紙を取りだして、読んでくれというのです。それは、『ヒロシマ、モナムール』の主演俳優、岡田英次からのものでした……」

「《君はヒロシマで何も見なかった》という、あの有名なせりふ（パロル）の……」

「ウイ。文面は、あなたとあの映画を製作しているときが自分の人生で一番意義ふかいときでしたという、短い、切々たる言葉で、僕は胸を打たれましたよ」

「あの映画で」と、パスカル・ローズはまたも長い髪を後ろに掻きやりながら、思案する様子でゆっくり答えた。「ナチの将校の愛人だった女たちが丸坊主にされる場面がありますね、ショッキングな。でも、監督は、責めていない……」

「あなたが、ツルカワを愛したローラを責めていないようにね」と私は応じて続けた。『ヒロシマ、モナムール』は、そのことで、フランスでは、愛国心がたりないとか、いろいろ騒ぎになりましたね。これに対してアラン・レネは、本作の登場者たちは原爆の直接被害者、行為者ではない。目撃者、証人なのだと答えていますね。そして、シナリオを書いたマルグリット・デュラスは、公開状を出して、われわれは愛の映画を作ろうとしたのだと云い切っています。あなたの『零戦』もそうではありませんか、ローズさん」

彼女は頷いて云った。

「戦争が文化となる瞬間があるのだと思いますわ。アラン・レネのデビュー作、『夜と霧』がそれでした」

「これも僕は観ましたがね。ヴィクトル・フランクルの原作が出るや否や、レネはそれを映画化していますね。戦争が文化となった瞬間の一つだといえるでしょうよ。オーストリアの偉大な心理学者は、骨と皮に痩せ細って、アウシュヴィッツのガス室の前を行進させられながら、妻がほほえんで激励するヴィジョンを見ていますね。実際には、そのときには妻は死んでいた。しかし、真実の愛は、生死にかかわりないと告白している。戦争が文化になるということは、愛が死に打ち克つ、そのような瞬間です。その意味で僕は、あなたの『零戦』がゴンクール賞を取ったことを祝福したいと思います……」

＊

パスカル・ローズと右のような会話を交わしてから二十一年が経つ。日本が謂われなき「反日」に四囲をかこまれたこんにち、新たな意味をおびてそれは私の胸によみがえる。たまたま、この稿を書き進めつつある本日、二〇一七年十一月十六日の日刊紙一面トップにも、「サンフランシスコ市議会、慰安婦像寄贈受け入れ」と麗々しく「歴史記憶」が報じられている。私自身、後述するごとく、のちにこの種の「反日イントクシケーション（悪宣伝）」に対する防衛戦に挺身するに至った立場から、振り返って、いまこう云いたいように思う。

——恨（ハン）だけで、憎悪だけで成り立つ文明は、ありえない。もし自らの主張に一片の真実を持たせたいならば、慰安婦の張りぼて人形ではなく、心底、万人を感動せしめる芸術作品を創造せよ。ピカソの『ゲルニカ』、レネの『ヒロシマ、モナムール』、パスカル・ローズの『零戦』のように、と。

その後、パスカル・ローズの『零戦』は、『ゼロ戦——沖縄・パリ・幻の愛』（鈴村靖爾訳、集英社）と題して邦訳が刊行された。独創的画家、合田佐和子による装幀は、鮮烈な赤の薔薇一輪を描いたものだった。

日本でどう受けとられたかは知らない。

白鳩

ホテル・サン・ロックで一九九七年の正月を迎え、なおもマリア巡礼の準備を進めているうちに二月を迎えた。

思いがけない一本の電話がかかってきた。ソルボンヌの旧師ジャン・グルニエ教授の令息、アラン・グルニエ氏からだった。自分たち一家はこれから南仏の別荘に行くから、よかったら、留守の間、来て住んだらどうかという親切な申し出である。すぐさま、オペラ座付近のサント・アンヌ街のお宅に伺った。

アラン・グルニエは外交官で、時に駐ポルトガル大使だった。のみならず、「永久大使」の資格保持者である。これは、全仏で四人しかいない高い地位らしい。かつて萩原徹大使から、永久大使とは、日本では、萩原大使自身がそうであるところの「外務省顧問」に相当すると聞かされた。外務省顧問じゃ飯は喰えねえと、ホテル・ニュージャパンの事務所でおどけてみせての説明である。そんなことを思いだしながら、グルニエ大使邸に向かうと、さすが堂々たる邸宅だった。中東やアフリカの歴任中に収集したものであろう、奇怪な彫像、仮面の類が、どの部屋の壁からも睨んでいる。

広々したサロンに通されると、グルニエ大使は夫人のエリザベットを伴って現れた。

大使とは、それまで、親交というほどの間柄ではなかった。どちらかというと、寡黙な気むずかしい人という印象を抱いてきたが、それにはパリの日本人画壇の長老格、佐藤敬の評語の影響もあったかもしれない。「グルニエ家の人はみんな、どこか変だ。長男もおかしいよ」というのである。「変」というのは云いすぎであろうけれど、「トレ・フランセ」でないことだけは確かだった。ニーチェのいう「フランス人は人の気に入ろうとする」、そのような意味での如才なさとは無縁の人々だったから。

ジャン・グルニエの歿後十一年目に、大使の妹、画家のマドレーヌは自殺した。五十三歳だった。人生のとっぱな、幼少時代に至福体験を得てしまったら、その後、失墜と感じずに生きていくことはどんなにか困難であろう——それが凡庸なる我が『孤島』の読後感だったが、もしかすると、マドレーヌは、もろに、忠実に、父の思想に殉じたのかもしれない。

どちらかといえば暗い、そのような想い出にふけりながら訪ねてきただけに、サロンに現れたアラン・グルニエ氏の雰囲気に、私はやや意外な感を受けずにいなかった。ずんぐりした父親に似ず長身で、のっけにこんなジョークまじりの挨拶をするなど、さすが老練の外交官だけのことはあると感じた。

「サント・アンヌ街の拙宅に、ようこそ——。以前は、この通りは、怪しげな連中が出没するので回りの顰蹙を買っていましたが、いまでは日本人街と呼ばれるほど貴国の人々で賑わい、お陰ですっかり浄化されましたよ」

たしかに、来る途中、何軒か日本料理店の看板を見かけた。

満面に笑みをたたえた夫人のエリザベットが、しきりに話しかけてきて、雰囲気を和らげる。アメリカ系の、良い意味でナイーブな優しさに満ちたこのレディは、以前、何度かジャン・グルニエ邸で見かけたことがあった。明るさをグルニエ家にもたらすうえで少なからぬ貢献を果たしたに違いない。

翌日、グルニエ大使夫妻は南仏へと旅立ち、私は留守宅の客となった。サロンの隣が広い寝室となっている。三、四人で寝られそうな大きなベッドが真ん中に据えられ、孤閨感を深める。もっとも、ここは妄想にふける場ではない。ベッドの背後の書架には恩師ジャン・グルニエの著書が並んでいる。窓辺に置かれた机に向かって、ぱらぱらとそれらをひもとく日々が始まった。

若き日、多大の指導と期待を受けながら博士論文を中断したことで私は、恩師に対して一生の負い目を負っていた。もうあれから三十年も経つというのに、傷口はいっこうに癒えない。この部屋はおそらく、寝室であるだけでなく、グルニエ大使が父を偲ぶ神聖の場なのかもしれない。ここの奥の院へ入れられたということは、よほどの好意と受けとらねばなるまい。実際、あの中断は、ほとんど罪悪であった。いま、それと真向かう運命が回ってきたのだ。

書架から『カルネ』(手帖)という一書を引きだしてページを繰った。驚いたことに、「タケモト」のことが何回か触れられている。最後の言及は一九七〇年で、ジャン・グルニエ逝去の前年である。不肖の弟子のほうは、とうに論文を放り投げてしまったというのに、師のほうは手放さなかった。南仏シミアーヌの別荘——そこへ令息夫妻は出かけていった——から寄せられたジャン・グルニエの絵葉書の文面が思いだされた。「私は、貴君がいつか大事なことを云う人だと信じているよ」と書かれてあった。お前はもう駄目だよと云われるより、このほうがよっぽど恐ろしい。師匠は、つねに先立っている。そして待っているのだ。

だが、「大事なこと」とは何であろう。はたして自分は、そんなことを云えるのだろうか。

窓際の小机に向かって読む日が続いた。

視線をふたたび『手帖』に落とすと、あるページで釘付けとなった。こんなことが書かれている。

私は、サン＝ジャンの土地で何年か暮らしたことがある。そこは、プロヴァンス州アルプス地方のカルパントラ県の一隅だった。

サン＝ジャンは、羊飼いの若者だった。

聖人たちの生涯において、素朴な人々の心を最も引きつけるものは何か？　およびただしい奇蹟である。教養ある人々をこんなにも嫌悪せしめるものは何か？　これまた、奇蹟である。

私自身はといえば、かくのごとく奇蹟に蠱惑されている。

ここまで読んだとき、私は、続いてジャン・グルニエが何を云おうとしているのか、わかるような気がした。マリア顕現について師がどう考えたか、そのことを知りたいと願っていたが、ひょっとするとここで触れられているのではなかろうか。

すると、こういう言葉が続いていた。

すでにして、二十三歳で死ぬまえにサン＝ジャンは、栄光と天使の合唱につつまれ、幼子イエスを抱いた聖母マリアを見ていた。

はたせるかな、マリア顕現を見たと記しているのだ。

「すでにして」（デジャ）の一語が重い。

わが師グルニエはマリア顕現をどう考えていたか、ぜひとも知りたいとひそかに願ってきたが、この一言を聞けば十分である。ここに語られる「サン・ジャン」は、ルルドのベルナデットの前では、その重要性においては比較にもなるまい。しかし、マリア顕現の幻視者であったという点においては同類の体験者の列に加えられるであろう。

それにしても、と思った。最も幽玄なる問題について、尊師、生きて語らず、死して語るとは、何事であろう、と。歿後二十五年を経て、書き残された断章をとおして、である。

*

パリの書店の一壁面全体を埋めつくすほどの膨大な文献の出版されたマリア顕現の現象に、どう迫るか、どうその探索の旅に出るか、グルニエ大使邸で思案にふけりながら糸口を探しているうちに、これぞ「アリアドネの糸」とおぼしき人をついに私は見つけだした。

類書の中でいちばんぴんと来た『なぜマリアはいま顕れるか』の著者、アンナ＝マリア・トゥリ女史の存在である。この人がキーパーソンになろうと直観した。

大判四百余頁の浩瀚なるこの一書は、近年のマリア顕現の端緒となった一八三〇年のパリ、バック街の奇蹟に始まって、同書刊行の前年、一九八七年に至るまでの全二百七十二件の主要事例中の大半を網羅している。しかも巻末には、現代科学からの見地からの分析をも付するといった周到ぶりである。この種の問題に対して、よくある類の、問題を統計学的に上撫でして「社会学的」と称するような性質のものではない。何より、血が通っている。読者のあずかり知らざる何らかの著者自身の内的体験に裏打ちされた、本質への肉薄といったものを感じさせられた。

アンナ＝マリア・トゥリその人については、「イタリアの作家、ジャーナリスト」と裏表紙に書かれた以外に何の記載もない。それでも、巻を開けば、常人ならざる女性であることは自ずからにして分かる。そもそもこの種の超自然的現象へのアプローチは、軽信者であってはならず、狂信者であってもならず、さりとて冷笑者であってもならない。著者は序文で、マリア顕現とは「超自然の、われわれの日常的現実への明白なる侵入」であると云い切っている。このような言葉は、自ら何らかの霊性世界の体験を経ずしては出てこないせりふであろう。はて、どんな女性なのかと、いっそう興味が湧いてきた。

幸い、同書の出版は、わが年来の友、ミシェル・ランドム君によってプロデュースされている。この本を出した「フェラン社」という出版社の設立そのものに同君は関与したらしい。

ミシェル・ランドムは、つとに神道と武道の紹介で名声高き親日家で、同社の出版目録にも真っ先に日本論の作品群が出てくるほどだ。ほかにも、かのヴライク・イオネスクの名著『ノストラダムス・メッセージ』のフランス語版を刊行していることからも、小生との縁は浅からぬものがあった。

ということで、同君を訪ねることとした。

あたかもそれは彼が人生最大の不幸に直面しているさなかだった。同時に、ある信じがたい感動的な体験に——。

人生は、生きれば生きるほど、最後に体験する出来事が実は最初に書き込まれていたと気づくような、奇妙な円環構造のうちにあるものらしい。ミシェル・ランドムに会いに、モンマルトルの麓のクリシー広場でメトロを降り立ったとき、そうした振り出しに、ぽんと自分が帰り着いたような感覚を味わった。

雪が降っていた。

広場に面して、昔と変わらず、一軒の大きな書店が立っている。

実はその界隈は、わが留学時代の生活空間だった。

書店の真向かいの方向に広場を突っ切って伸びている街路の、すぐ先、左側の建物——「レニングラード街三十番地」——に、三十代の私は定住していた。反対に、広場のこちら側、書店のすぐ右隣から始まる細道の、しばらく先に行った左側に、ランドム君の家はあった。ということは、クリシー広場を中心に、そこを突っ切る通りの完全なる対称軸の地点にわれわれは住んでいたということになる。メヴィウスの輪のようなこの対角線上を二人は往き来して訪ね合い、後年、筑波で共に未知世界への懸け橋の国際会議を推進し、いままさにこれが最後となるであろう再会を果たそうとしている。

このメヴィウスの輪のちょうど結び目に、その書店はあった。その前に立って、しばらく大きなショーウィンドーを視つめた。

雪が斑(はだら)に降りかかるガラスの向こうに、ある残像が浮かびあがってくる。「ミシマ対バタイユ」という文字の赤い帯封を巻いた、『NRF』誌の新刊の表紙が。

二十三年前の時のかなたから——。

そのときたまたま私の脇にいた羽鳥啓治の云った言葉が、耳元に聞こえてくる。

「おい、こんなことをやった日本人は、ほかにはいないぞ」

そのとおりだった。

本来なら、私はそれを誇りに思っていいはずだった。日本で大学の仏文科の学生だったころ、ある助教授が「フランスには世界最高の『ＮＲＦ』という文芸誌があります。表紙にｎｒｆと記されています」と云いながら、黒板にその綴り字を書いたときの光景まで、鮮やかに思いだされてくる。最後の「ｆ」の字の縦線の下を、長く左方向へと引っぱって。以来、ジッドもマルローもカミュも執筆したその一流誌は、われわれ学徒にとって、はるかなる明けの明星のごとき存在となった。その「ｎｒｆ」のマーク――いまでいうロゴ――を表紙に印した天下の文学雑誌が、拙論のタイトルを麗々しく赤い帯封に掲げて、書店のウィンドーのまんまえに立てて飾られているというのに、なぜか、そのとき、私のこころは浮き立たなかった。

パリで登竜した文壇を、まさにその瞬間に、なぜ俺は去って帰国しなければならなかったのだろう……

実際に、待っていたのは、帰国ではなく、転落だった。

あのとき、脇で讃辞を呈した頭のいい奴の分銅が、てこの原理で、こっちの運命が下がった分だけ上がっていったのとは、正反対に。

雪は、まんじともえと吹きつけてくる。

書店脇の細道に入った。

中東系の人々の住むらしい雑多な小屋の重なりあった界隈を抜けていく。以前と同じような、でこぼこの舗石を嵌めこんだ道のぬかるみに気を取られながら四、五分歩くと、覚えのある古ぼけた建物の前に出た。二階に上って、呼び鈴を押した。出てきた旧友の顔を見て、思わず、後ずさりした。ざんばら髪を掻きむしりながら、窪んだ眼窩に虚ろな眼を泳がせ、立っているのもやっとといった様子で、男は、しかし私を見るや、しっかと抱きしめて、

「おゝ、タダオ」

と声を振り絞った。

「いい時に来てくれた。ナディアが死んでしまった……」

私が前日、電話で約束をとった日は、ミラノで不幸な出来事があって帰宅した直後のことというのだった。

愛妻のナディアを、もちろん私は見知っていた。多年連れ添った夫婦は顔が似てくるといわれるが、そうではない。恋する男の夢から投影されて、女の容貌はつくられるの

だ。ナディアはそのような女性だった。初めて彼女をこの家で見かけた瞬間、そう信じた。いや、実物が目の前に現れるまえに、ランドムの夢が写真に咲き出ていた。

彼は、作家のほかに写真家の副業を持っていた。その会心の作らしい一点、ナディアのポートレートを、玄関を入ってすぐ真ん前の柱に貼りつけてあった。額縁にも入れず、無造作にピンで留めて。そのほうが却って生々しかった。大きく眼を見開いたその顔を、実物以上に鮮明にいまでも覚えている。モデルと聞かされていたが、痛々しいような微笑を浮かべて現れた女性、実物のほうのそれは、小柄な、華奢な体つきで、いまにも羽を広げて飛んでいってしまいそうだった。この初印象は、このあとランドムが語ってくれた信じがたい最後の出来事を最初から告げていたように、いまにして思われてくる。

ナディアとは、名前からしてアラブ系……たぶん、レバノンかシリアあたりの血を引いているのであろう。血の気の薄そうな肌の白さは、白人女性の色素の浮いたような白色ではなく、透きとおった浅黒さのようにみえた。が、もちろん、あえて出身を聞くような野暮はつつしんだ。

ランドム邸で私は何度かナディアの姿を見かけたが、そのうちに、なぜかだんだん会わなくなった。さっきも、入ってくるときに、例のポートレートだけは以前と変わらずに玄関先に貼りつけられてあった。写真家の変わらぬ熱情を証拠立てているかのように。

だが、「死んだ」という。何が起こったというのだろう。

タダオ、聞いてくれと、薄暗いサロン兼フィルムライブラリーで彼は語りはじめた。

「つい一週間まえ、僕は、ナディアと末の小さい息子を連れてミラノに行ったんだ……」

言い忘れたが、彼はイタリア生まれだった。ミシェル・ランドムとは、雅号かも。ユダヤ系をはじめとして、匿名でフランス生活する外国人は珍しくないから、これも私は詮索したことはなかったが。

「所用も済んで、その日、ひとりで街を歩いていた。すると見知らぬ界隈に出た。と、どうだろう、前から知りたいと思っていた或る友愛協会を発見したんだ。秘密結社だがね。僕にとってはそれは大きな驚きだったんだが、そんなことは、もう、どうでもいい……」

そこまで一気に語ると、ランドムは、ふうっと溜息をついて言葉を継いだ。

「ホテルに帰ってくると、妻と息子が待っていた。と、突然、ナディアは、胸を掻きむしって、部屋の窓辺に飛んでいった。そして窓を開け、夜に向かって、あゝ苦しいと絶叫したかと思うと、ぱったり倒れ、そのまま死んでしまったんだ。小さな息子も、その様子をぜんぶ見ていたよ」

そのあとの出来事をどう語ろうかと思案するかのように、こめかみをぴくぴく痙攣させながら語り手は言葉を宙にまさぐっていた。

「……信じられない思いで僕は埋葬を済ませ、息子をナディアの実家にあずけて、ひとりでここへ帰ってきたんだ。玄関のドアを開けると、ばたばた音がする。そして、この部屋、そうだ、いま君と僕のいるこの部屋へ入ると、なんと、一羽の白鳩が飛び回っているじゃないか！　旅行に出るので、窓という窓を固く閉め、どこからも何一つ侵入する余地のない、この家の中にだよ。窓は、どれもぴったり閉まったままだった。いったいどこから来たんだ、この鳥は？」

憑依された霊媒師のように苦しげな口調で、額に汗さえ滲ませてここまで一気に語ったランドムの表情に、それと見分かぬほどかすかに明るい光が射した。

「そのとき、僕は思いだしたんだ。ナディアが、死んだらあたしは白鳩になると云っていたことを――。いまや、鳩は、現実の白鳩は、部屋から部屋へと飛び回っている。少しも騒ぐ様子もなく、悠々と。その後を僕は付いてまわり、最後に書斎に入った。と、鳩は、僕の机に止まって、じっとこちらを見ているじゃないか。中庭に臨んだ、机の向こうの窓を僕は開け放った。が、それでも鳥は飛び立たず、また、家の中を飛び回りはじめた。その様子は、さも名残惜しそうで、去りがたいようにみえた。そこで僕はその後を追ってぐるぐる周りながら、こう呼びかけたんだ――分かった、ナディア、分かった。もういいから、あの広い空へ帰っておいで……」

ランドムの眼鏡の奥から、大粒の涙がぽろぽろとこぼれ落ちた。

「すると、その言葉が分かったかのように、白鳩は、また書斎に飛びこみ、窓から外に飛び翔けていった。真昼の空に、まっしぐらに――」

テーブルに置いた両手が嗚咽で震えている。

言葉もなく私は自分の手を重ね合わせた。


不幸の極致にあっても、ランドムは、友情も用件も忘れなかった。

男の手料理だ、食べてってくれと云い、キッチンでスパゲッティを作ってくれた。

そのあと、サロンに戻り、ダイヤルを回した。

「アンナ＝マリアかね、ジャポネを一人紹介するよ。これこれしかじかで。ん？ 会えばわかるさ」

受話器を渡されたので挨拶すると、晴れやかな女の声が返ってきた。

「いま、わたし、サルデニアで、舟の中にいるの。聖痕を受けた女性、マダレーナ・アザラと一緒よ。マリア顕現の調査でいらっしゃるんですって？ 喜んでご案内するわ」

カンタータでも歌うような調子で、何の翳りも感じられない。幽事に観入するには、開かれたパーソナリティであることが肝要だ。著書で感じた人柄そのもののようだ。

きっと素晴らしいナビゲーターになってくれよう。いっぺんに目先が明るくなった。

＊

思いつめればシンクロニシティが起こるというのは本当らしい。今度の場合、それは床屋で起こった。

というのは冗談だが、滞在中のホテル・サンロックからオペラ通りに出る途中に行きつけの店があり、ぶらり立ち寄ったところ、大判の写真誌『パリ・マッチ』の表紙がぱっと目に入った。一人の司祭が腕に抱いた小さなマリア像から血の涙が流れている。記事にはこうあった。

《ローマ近郊のチヴィタヴェッキアで奇蹟が生じた。一人の電気工が、ボスニアのメジュゴリエで土産に買ったマリアの小像を庭に置いたところ、幼い娘が叫び声を立てた。パパ、マリアさまが泣いているよ！　騒ぎが広がったので、教区の司祭が像を引きとったところ、今度はその腕の中で血流を見た。二つの大学で血液検査を委嘱した。目下、ヴァチカンはまだ沈黙を保っている……》

マリアの彫像や画像が涙や血を流す現象は、顕現に劣らず広く知られている。今回のイタリアでの出来事は、現代最大の顕現現象といわれる、三千万人の巡礼者を世界中から集めた、かの旧ユーゴの「メジュゴリエ」から持ち帰った彫像ゆかりであるだけに、人々の興奮はいっそう大きいようだ。

床屋の親爺から買い取った写真誌の記事を、ホテルの部屋でゆっくりと読んだ。そこにはこんな茶化したことも書かれていた。イタリアではこの種の奇蹟は日常茶飯事なので、人々は、えっ、マリアの出ない寺があるの！と驚くほどである、と……

いずれにせよ、チヴィタヴェッキアはローマの近郊なので、トゥリ女史に案内してもらおう。日常茶飯とはいえ、出立を前にこの事件が起こったのは吉兆に違いないと、勝手に思いこむこととした。

旅装は整った。

第二章　イタリア探奇行

アンナ＝マリアのマリア

人生と旅は「ナビ」次第である。

パリで準備に半年かけた我がミステリー探索の旅、マリア顕現地めぐりは、ローマから始まった。その案内役として『なぜマリアはいま顕れるのか』の著者、アンナ＝マリア・トゥリを得たことは、私にとってまたとない幸運だった。

いまは亡き親日家の作家にして旧友、ミシェル・ランドム君の引き合わせである。

一九九七年四月五日、パリからローマに一飛びした。

祈りによって人はその崇敬の対象に似てくることがあるものだが、目の前に現れた女性はどことなくそんな雰囲気を持っていた。こう書くと大げさになりそうで躊躇するが、午後の陽射しのなか、ホテルのロビーに入ってきた「ローマの女」は、はんなりと、紡錘形（むがた）の体形をしていて、もしマントを着て両手を広げたなら、ちょっとした「慈悲の聖母」のポーズとも見えたであろう。

もっとも、熟年のマリアという画題はないが——。

歳のころは、時に六十四歳の私とほぼ同年であろうか。しかし、つやつやとした肌の色は、年若に見える。というよりも、ある種の内面生活を送ってきた人特有の、老けない色つやを保っている。

ロビーのソファに坐ったその人をよく見ると、西洋人特有の突出型の容貌ではなく、ふっくらした福相で、われわれの目からすれば、むしろ観音さま風にみえた。

第一線ジャーナリスト、作家、敬虔かつ実践的な異界探訪者。そして何より、端倪（たんげい）すべからざる知識のマリア研究家——これ以外に私は何一つ事前に彼女自身について知ることはなかった。著書では、生年をはじめ、個人的なことは一切触れられていない。彼女を紹介してくれたランドム君も、愛妻を亡くしたばかりの不幸のさなかのこととて、贅言をついやす余裕はなかった。

なのに、パリを出るまえから私には直観がはたらいていた。

コンパスもなく、未知なる異郷の霊性の大海に漕ぎだそうとする自分にとって、たぶんこれ以上の舟人（ノートニエー）は見いだしえないであろう、と。

というのも、こういう点にかけては私は注意深いのだが、超自然について語る彼女の文体は、「……であろう」の推測ではなく、「……である」の肯定に裏打ちされたものだったからである。

一時間後、船出を共に祝っていた、

ローマを囲む七つの丘の一つ、としか場所の記憶はない。

眼下はるか、夕陽を受けて「永遠の都」がしらしらと輝き、その間をテヴェレ川がゆったりと流れていく。風景の中程で川は、急激に、U字型に湾曲している。その光景を並んで眺める観光客に入り混じってバルコニーから入ると、中はシックなレストランだった。奥まったテーブルで私は「イタリアの観音さま」――と早々に渾名していた――と向き合った。

栗色髪を無造作に両耳の後ろに分けて束ね、春とはいえ未だ薄ら寒いのに、羽織った薄いコートを脱ぐと、ネックレスもつけず露わとなった青いドレスの胸元が、つややかな顔色と一続きの肌の色で、およそ俗塵と無縁らしい澄んだこの人の生きかたを表わしているようであった。

「イタリアは、マリア顕現の多い国です……」

ハーブティーのカップを手に彼女は口を開いた。こちらはシェリー酒を脣にあてて耳を傾ける。

「でもそれは、カトリックのせいではありません。ここには、キリスト教以前の諸宗教の跡がたくさん残っていて、信心深い人々がずっと住んできたからです。殊に、西暦一一〇〇年頃からマリアはイタリアに多く顕れるようになりました……」

「聖ベルナールの頃からですね」

と、思わず口を挟む。

ちょっと驚いたように相手がハーブ・ティーのカップを皿に置いたので、私は補った。

「いや、僕は、聖ベルナールのシトー修道会の影響でベルギーに建てられたオルヴァル修道院の跡を訪ねたものですから。ノストラダムスが修行した、あの僧院です」

「あら、そうだったの。それなら話がしやすいわ」

運ばれてきたパスタにフォークを伸ばしながら彼女は言葉を継いだ。

「ヴァチカン・マリア研究所のジウゼッペ・ベスッティ教授がこの方面の権威で、わたしはいろいろ教えていただいたのですが、一一〇〇年前後にこの国に存在した聖母寺の半分は、マリア顕現のヴィジョンを見ることから建てられたとのことです。画像の奇蹟のようなものも含めて、ですけれど」

「日本でも、同じ時代に、観音や諸菩薩の顕現が多く起こっています」

「あら、似ているのね」

「文明の不思議な共時的現象だと思いますよ。僕は大学でそういうことを講義してきました」

「あなたのことはミシェル（・ランドム）から聞いています。一緒に未知世界に橋を架ける国際会議をおやりになったとか」

「はい、ミイラ取りがミイラになって、ここまでやってきましたよ」

朗らかな笑い声が返ってきた。

寡食とみえる。しかし美味しそうにロゼーを飲みほした。こっちは、好物のミラノ風仔牛のカツレツの大きな塊と格闘中である。彼女は云った。

「イタリア南部のカラブリア地方から、北のほうへと、ギリシア正教の広がるのにつれてマリアの幻視が広がっていったのです。まず、ヴィジョンを見て、そこから聖像、聖堂が造られていきました……」

「そのカラブリア地方というのに僕は興味があるんですがね。そこからローマに移住してきた僧侶たちがトレ・フォンタネ僧院――僕は勝手に日本風に三泉寺と呼んでいますがね――を建て、さらにそこからベルギーにまで北上して、かのオルヴァル僧院を建てたそうですから」

「トレ・フォンタネ僧院は、イタリアで最も有名な現在進行形の聖母顕現地の一つです。そこの洞窟にご案内しようと思っています」

「グラチエ、シニョーラ……」

「アンナ＝マリアと呼んでちょうだい」

「では、こちらは、タダオで結構です」

そう応じて、続けた。

「オルヴァル僧院の廃墟に立ったおかげで僕は、なぜそこでノストラダムスが予言能力を得たかが分かりましたよ。ヴィジョンを見る能力を彼はそこで授かったんです。聖霊の加護により……と、予言集の序文で書いています。もちろん、マリア顕現もあったことでしょう。なにしろ、ノストラダムスという名前そのものからして、聖母の意味なんですからね。それに修行の場が、オルヴァル聖母大修道院でした。それと、もう一つのことが分かりました……」

アンナ＝マリアは黙って私の口元を視つめた。聞き手がいつのまにか語り手となった立場を意識しながら私は続けた。

「さっきあなたが仰った南イタリアのカラブリア地方ですが、そこからローマを経て、幻視ルートとでも呼びたい道が一本通っていたわけですね。純朴な人々が聖画像を崇める、するとマリアが顕れる、あるいは画像から涙流や血流が生じる、やがてそこに礼拝堂が建てられるというふうにして伸びていった長いルートですね。もちろん、それ以前に、東方からカラブリアに至るまでの道程があったわけでしょうけれど。僕は、オル

ヴァルで、期せずして自分もその途上に立ったのではなかろうかと思うんです。という
わけは、オルヴァルからヴァレンヌに出て……」
「ルイ十六世が捕まった、あの……」
「そうです。そのヴァレンヌで、王の石碑まえに立ったときに、驚くべき超常体験を
したからです」
それはかくかくしかじかと「秘声」の出来事を語った。
「まあ、そうだったんですか」と彼女は応じて、こう訊いた。「それにしても、ムッ
シュー……、いえ、タダオ、どうしてあなたはこうした世界のことにこんなに興味を持
つようになったのですか」
「そもそもの始まりは、二十歳代のときに見た一夜の夢にありました。長い話になり
ますから、それは後刻お話しするとしましょう。で、只今のご質問にお答えしますと、
ノストラダムス予言にせよ、ファティマの予言にせよ、まず、年代の非常な正確さに僕
は衝撃を受けたのです。一九九一年六月のソ連崩壊を云い当てたような――」
「アジア……、日本には、そのような予言はありませんの?」
「それほどまでに時間的に正確なものは皆無です。仏陀が説いた、仏滅後二千年ない
し二千五百年後に世界に大闘諍(だいとうじょう)が起こるという予言が種々の仏典に記されていますが、

大雑把なものです。しかし、十三世紀の日本に日蓮という聖人が現れて、これらの仏典を徹底研究しました。仏法を学ぶ者は時を学ぶべし、と云っています。日蓮は、そこから、日本に国難が迫っていることを予知しました。『立正安国論』という著書を著してそれを主張し、現実に二度にわたる蒙古来襲が起こって予言は実証されました。しかし、日蓮その人は、時の鎌倉幕府によって迫害を受け……」

「西洋でも、マリアを視て予言を授かった幻視者たちは、みんな、教会と対立する運命に置かれました。火炙りになった人たちも少なくありません。その、ニチ……」

「ニチレンです」

「……ニチレンは、どうなりましたか」

「危うく処刑されるところでした。竜の口の法難として有名です。ダマスコの道のような奇蹟的事件でして。数百人の物々しい軍勢によって捕縛されたサント・ニチレンは、太平洋に面した海岸で斬首されようとしたのですが、月下に、夜をあざむく皓々たる眩い光球が洋上から現れて、バウンドしながら一直線に頭上を横切り、敵勢は恐怖にとらわれて手が出せなかった。首斬り男の刀は三つに割れたといいます」

アンナ=マリアは、ひどく関心をそそられたようだった。やや急き込んで、こう質問を重ねた。

「ニチレンに、顕現はなかったのですか」

「ありましたとも……」

と私は答え、一拍置いて、デザートのシャーベットを一さじ口に入れた。

彼女も気づいたように、フランボワーズの皿から紅い実をすくった。卓上の二基のキャンドルの炎がかすかに揺れ、その向こうに今宵のマドンナの強い視線を感じて語り手は勇気づいた。

「その前夜、天使たちの顕現があったと、日蓮自身、のちに述懐しています。そのあと、佐渡島に流されて、ですね。天使のことは、エンジェルではなく、天子と呼んでいますが。諸天のうち、三光天子の月天子が見参し給うと――」

「マリアも、呼び名はいろいろに変化しています」

いつのまにか、私の右手、バルコニーの外に、夜が広がっていた。丘陵よりはるか下方のローマの街あかりはここからはわずかしか見えず、かわって、星々が疎らなまたたきを放っている。

「では、日本にも、顕現や予言もあった、のですね」

「そりゃありましたよ、いろいろと。特に十二、三世紀は、さっきも申しあげたように、ここイタリアと日本の宗教界に不思議な共時的現象が多々起こった時代だったのです。アッシジの聖フランチェスコと日本の法然上人に代表されるような――。どちらも、浄土にむすびついていました」

「アッシジには、タダオ、あなたをお連れするつもりですわ。美術と信仰の関係を考えるのに、そこは最適の場ですから」

「グラチエ、アンナ＝マリア」

聖フランチェスコのアッシジは、どうしても一度は訪ねたかった最高の聖域である。

旅程プランについてアンナ＝マリアはさらに説明してくれた。ローマを出て、まず、いま現に目から血流の奇蹟を見せているチヴィタヴェッキアのマリア像を訪ね、そこからアッシジに回り、ローマに戻ってトレ・フォンタネの洞窟を訪ねる予定であると。二、三泊の強行軍ながら、その間、何を見うるか、聞きうるかと、胸は躍った。会話は、お互いにフランス語で、まったく問題ない。

旅程の説明を受けながらも私は自分の考えを追っていたが、ふたたび口を開いた。

「国難にさいして国神（くにがみ）が顕れて危機回避のために種々予言をするというのは、お互い共通のようですが、カトリック世界のほうが比較にならないくらい強烈ではないでしょうか。しかし、もともと、キリスト教は、戦闘的（ミリタント）な性格を持っていますね。ジャンヌ・

ダルクにとってそうであったように、超自然の啓示は、剣を取って戦えとの召命と一つのもののようです。敵を、悪を、明確に見据えていますものね。しかも、こうした戦いは、過去の出来事ではなく、ローマ法王とソ連の間の死闘のごときが、最近まで何十年間も演じられてきたことは、日本ではほとんど知られていない真の驚異です。マリア顕現についで調べれば調べるほど、僕はそのことにいちばん感じさせられてきました」

こう聞くと、アンナ＝マリアは、びくっと体を震わせた。初めて見る反応である。何か琴線に触れたらしい。

考え考え、ゆっくりしたトーンで彼女は語りはじめた。

「実は、わたしも、こう見えて、けっこう、ミリタントですの……」

はて、何を云いたいのだろう。

「ご存じのとおり、法王ヨハネ＝パウロ二世は、ファティマの聖母のメッセージに従って、ソ連の回心のために祈っておられました。そのころ、わたしは、ソ連から独立をはかる東欧圏の一つ、チェコの地下抵抗運動組織の応援活動をしていたのです。そこから、法王と出遭う巡り合わせとなりました……」

その次第は、かくかくしかじかと彼女は物語った。かいつまんで記せばこのようだった。

ジャーナリストとして、共産党の支配下に呻吟するチェコの独立擁護の記事を書いていたとき、アンナ＝マリアは、一九八八年に現地のある司祭（のち、枢機卿）からコンタクトを受けた。ぜひ当地に来て、活動家たちに会ってほしい、と。そこで、親にも告げずに秘密裡に出発し、収容所に潜入して、囚人たちと軽食堂で会って話を聞きだした。隠しマイクで、拷問された模様などを録音し、これをラジオ・ヴァチカンを含む放送網から世界に伝えた……

マリア顕現の専門家ということから想像されるようなスタティックな観想家ではなく、行動型の実践家だったのか……。目を見張る思いで、私は眼前のローマ女性を視つめなおした。

「法王は、私の放送を聴いてくださっていました」と述懐は続く。「そして、あるヴァカンス先に訪ねてくるようにと云われたのです。たまたま、法王と同じポーランド出身のある女性と私は知り合いでした。この女性の夫は哲学教授で、法王の執筆を手伝っていました。そこで、この夫婦を介してお目にかかったのですが、なんと、法王は、あなたの論文を読みましたと仰ったのです。私は、チェコでの自分の潜入活動のことで招かれたとばかり思っていたので、そう聞いて本当に驚きました」

「どんな論文だったんですか」

「超自然に関するもの、とだけ申しあげておきましょう」

と受け流す。

「法王は、カトリック世界と共産主義社会の軋轢をどうすべきかについて真剣にお考えで、熱心にそのことを語られました。ポーランドやチェコのキリスト教徒たちがソ連圏の圧力によって自由を奪われ、拷問されている実態がこうも生々しく伝えられたからには、いっそう解放を急がなければならない、と。女の身で、あなたはよくやったとも云われました。法王ご自身、当時、ゴルバチョフを動かしてソ連崩壊に向けて着々と歴史的大事業をお進めだったとは、もちろん、私は知るよしもありませんでしたけれども……」

「ヨハネ=パウロ二世は、どんな感じの方でしたか」

「とても、とても、強烈にスピリテュアルでした。その後、歴史的使命を果たされるにつれて、もっと政治化していらっしゃいましたが、私がお目にかかったときは実にスピリテュアルで、私はそのことに打たれました」

「その三年後でしたね、法王の努力が実って、現実にソ連崩壊に至ったのは——。ロシアの回心、とマリアが告げたとおりに——」

「冷戦終結は、世間では、レーガン米大統領の功績だと思っていますが、そしてそれには違いありませんが、目に見えない世界で、そのような祈りのはたらきがあったれば

こそです。法王は、ファティマに顕れたマリアが、ソ連を聖母の聖心に奉献するように
との要請に応えられたのです……」

それにしても——と、内心、忸怩(じくじ)たる思いだった。
日本は、スターリンのソ連のために北方領土を奪われ、六十万人もの同胞をシベリア
に拉致抑留されていながら、この悪の帝国を倒すうえにおいて全くの無力だった。まし
てや、その間、古いヨーロッパの信仰の世界が、かくも秘密裡に強靭な戦いを挑んでい
たとは、巷間、何一つ伝えられていない。
いや、かりに報じられたとしても、現代日本の精神風土では、マリアなどと云ったが
最後、「神学論争」として一笑に付されるのが落ちであろう。

そういう俺自身は何をしてきただろう、とも思う。
そのときには、マリア巡礼の最後に、自分もまた「ミリタント」たるために日本に弾
き返される運命になろうとは、夢にも思わざることだった。
エスプレッソを舌の先に味わっていたが、何か火のようなものが欲しくなった。そこ
で、強烈な度数のリキュール、グラッパを頼んだ。以前、これを二、三杯ひっかけて通

風になったことをも忘れて。愚者の愚者たるゆえんである。

「さっき、両親にも秘密にチェコに行ったと云われましたが」と、やや臭みのある独特の葡萄の絞りかすの匂いを嗅ぎながら、グラス片手に尋ねた。「父上は何をしておられましたか」

「イタリア陸軍の将軍で、負傷して退役後、防衛省の高官になりました。マルタ騎士団の二等勲章佩用者（グラン・オフィシエー）です」

道理で、血は争われない。

「それにしても、女性騎士的なあなたのような方が、どのように超自然現象に関心を持たれたのか、ますます興味が湧いてきましたよ」

「そのことでしたら、明日からの道中でお話ししますわ。それと……」

と云いさして、アンナ＝マリア・トゥリは、ちょっと考えるように小首をかしげた。小さな真珠を二個、縦につないだだけの素朴なイヤリングが、フェルメールの少女像のそれのように幽かな光を放って揺れる。

「あなたには、アッシジで、特別の部屋に入れていただこうと思っています。そこへ入れば自ずと分かります」

何やら仕掛があるらしい。ますます面白くなってきた。

チヴィタヴェッキアの血流像

巡礼の第一札所ともいうべきチヴィタヴェッキアに向けて、翌朝、ローマを出発した。パリの床屋のおかげである。そこでたまたま目にしたパリ・マッチ誌の表紙に、純白のマリア像の両眼から血流が生じている写真を見たのが、きっかけだった。真っ先にその現場を訪ねる旅程をアンナ=マリアは組んでくれていた。

チヴィタヴェッキアまではローマから一時間ほどの距離である。閑雅なその港町に、近頃はクルーズ船で日本人旅客もかなり立ち寄るらしい。伊達政宗の遣欧使節団の跡や、長谷川路可の「和装の聖母子像」を見物しに。かくいう自分は、迂闊にも、そっちのほうを見過ごしていた。熱中症で、一つ事をやると他のことが見えなくなる性分で、ために人生を何度も失敗してきた。

タクシーに乗るや、アンナ=マリアは、問わず語りに自らの来歴を語りはじめた。昨夜のレストランでの熱い会話の雰囲気がそのまま持ちこされていた。

「わたしは、十七歳のときからイル・テンポ紙などに寄稿してジャーナリストの仕事に就きました。テレビのコメンテーターになって不思議現象を取材し、魔術史などを取りあげたこともあります。でも、最大の主題はもちろんマリア顕現のことでした。この方面の専門家としてユニークと見られています」

かたわら、自身の心霊修行に励んだ。

ご多分に洩れず、超心理学的な関心から入っていったのであろうか。ここらあたりは、精神世界に引かれた多くのわれわれの仲間と大差ないかもしれない。だが、そこから、どのように上昇していくかが問題なのだ。このイタリア女性のプロセスはどうであったか、興味深々で私は耳を傾けた。

「娘時代に」と彼女は続けた。「ソフレッティという医師の指導で一種の見神体験を持ちましたが、それはまだ心理学的な段階に留まるものでした。ヴィジョンを見るよと暗示され、やや催眠状態となって、キッチンで、めくらめく光芒につつまれました。ヒューズが飛んで、電気が消えた。脈拍が上がり、わたしは感動して、泣きに泣いた。そんな状態が二、三分は続いたかしら。もういちど体験したかったけれど、同時に怖くもあった……」

車は、回転しながら、ローマの市街から高速に抜け出ようとしていた。回顧談は続く。
二十七、八歳のころ、国際精神分析学協会会長のエミリオ・セルヴァディオ博士が彼女の家を訪ねてきた。フロイト派の分析家、かつ超心理学の権威として著名だった人である。「神秘的レヴィタシオン（人体浮揚）現象を研究して、本をお書きなさい」と勧められた。アドバイスに従って彼女は研鑽を積み、後に『神秘現象レヴィタシオン』という一書を出版した。マルクス主義からメルロー・ポンティの現象学に至るまでの近現代思想を背景に論じ、高い評価を得た。

「レヴィタシオンというのは本当にあるんですか」

と私は尋ねた。

「日本では知られていないの？」

「ないことはありませんが」と私は口篭もった。何と説明したらいいのか……

「古くから、天狗にさらわれるというような見かたをされてきまして……」

テングとはこれこれこんな風でと説明する。

筑波在住時期に、仙童寅吉がさらわれていったという岩間山を訪ねたときの光景が思いだされた。ひときわ大きな大天狗の岩と、弟子たちの岩が円形に並べられた素朴なものだった。しかし、そんなことをここで云ったたって仕様がない。どうやら次元が違うらしい。黙って先を聞いた。

「イタリアでは」と声が続く。「十七世紀の修道士、ジョゼフ・ド・クペルティノの例が最も有名です。百回も空中飛行を目撃されたとの記録があります。最後にはウルバノ八世法王との謁見中に浮揚してみせて、この奇蹟の能力と高徳によって後に聖人に列せられました」

レヴィタシオンは、イタリアでは聖人を生み、日本ではオーム真理教のいんちき宗教を生んだかと、そぞろ、こちらは、身のすくむ思いがする。薄汚い髯づらの麻原彰晃が力んで畳から何センチか撥ねあがったトリック写真に騙されて、どれほどのナイーブな若者が入門し、集団殺戮の手先となったことか。

もっとも、悪貨が良貨を駆逐するの伝は、日本での「ノストラダムス大予言」流行も同じことで、これをひっくりかえして正伝を弘めようとして、私自身、とてつもない人生のアバンチュールに巻きこまれるに至った。そこから道なき道に分け入ってここまで来ている。

車は、高速を一直線に北西へと走っている。

やがて、左手に、ちらと海が見えた。ティレジア海だ。赤い屋根の家々がその方向に雪崩れるように広がっている。そこへ突っこむように車は「サルデニア方面」という標識の下で高速から滑り降りた。道の真っ正面に真っ青な海が広がる。

「チヴィタヴェッキアの町よ。聖アウグスティヌスが長く滞在しました……」

クリストフ・コロンブス街道を突っ走り、カラカラ帝の浴場跡を右に見ながら、さらに北上していく。

やがて、行く手に、十字架を掲げた小さな礼拝堂が現れた。血流のマリア小像がそこに収められている。旅の第一札所へ到着したのだった。

その界隈に入るや、真っ先に目についたのが、警察官と赤十字の看護婦たちであることに私は驚いた。

奇蹟のマリア小像の持主だった電気工、ファビオ・グレゴリの家の前は、二人の警官によって警護されている。もはやそこに像はないのに、いまだに狂信徒が踏みこんでくるのを防ぐためとか。像が移された礼拝堂に向かうと、入口には大きな赤十字の幕が掛けられ、二人の綺麗な娘さんが甲斐々々しく立ち働いていた。霊癒を望んでやってくる病人を介護するためという。ルルドに詣でた人なら、そんな光景は馴染みであろう。しかし、私にとっては、ささやかながら、ここが初の巡礼地だ。マリア顕現が純然たる社会現象である光景を初めてかいまみた。

全国から参集した善男善女が長い行列をつくっている。一見、あまりぱっとしない中年以上の人々で、口々に「アヴェ・マリア、サンタ・マリア……」と唱和しつつ、ぞろぞろと入口に向かっていく。アンナ=マリアと私はその最後尾についた。

「ここが、マリア顕現で生まれた一番新しい教会よ」

と説明される。

その日は一九九七年四月六日だった。最初に電気工グレゴリの家で異変が起こったのが一九九五年二月だったから、それから二年と経っていない。そのあと、大騒動を承けてこの会堂が新築された。事件の由来はこうだった。

信心ふかいグレゴリは、聖アウグスティヌス教会の神父で教区の司祭パブロ・マルティンからメジュゴリエ――かの現代史最大のボスニアの「平和の聖母」顕現地――土産のマリア像を貰って、庭の一隅に安置した。像は、大量生産の小さな石膏像で、何の変哲もない。だが、幼い娘が、その両眼から涙の流れるのを見て騒ぎの発端となった。聖母像は、マルティン司祭から司教グリロの手に渡り、まさにその手の中に抱かれた瞬間に奇瑞を見せた。しかも、両眼から出る涙は、透明なのが見る見る薄赤く染まり、それが深紅となって滴り落ちていくのだった。十数回にわたって現象は起こり、五十人ほどの人が見た。噂が伝わって群衆が押しかけるいっぽう、トリックだと共産主義者たちが騒ぎ立てたので、司直が介入し、像を差し押さえた。司祭館の戸棚に押しこめ、これを封印した。すると今度は、イタリア中のテレビと新聞が「聖母を監禁するとは前代未聞」と騒ぎ立て、かたわら敬虔な信徒たちは像の公開を迫り、さらに唯物主義陣営は聖母像の血液型の鑑定を要請して、騒動は収拾のつかないところへと発展していった。

「それで、どうなったんです」

と私はアンナ＝マリアに尋ねた。

「像は押入から出され、ようやくここに安置されました。おかげで、いまこうして私たちはそれを見ることができるのです」

こう話を聞いている間も行列は動き、三十分後に赤十字の娘さんたちに迎えられて礼拝堂に入ることができた。右側の壁添いに進んでいくと、まもなく当のマリア像の前に出た。ガラスのケースに収められ、思ったよりずっと小さい。三、四十センチほどにすぎない。全身白ずくめの、すっきりと細長い姿で、差し出された左手から長い数珠が垂れている。その手に血流は溜まって溢れたというが、いまは血液どころか、涙の一滴も跡を留めていない。大量生産の石膏像とはいえ、さすがにマリア図像学を踏まえてか、不様になった流麗な形には感じ入ったものの、これを見ただけでは奇蹟の片鱗もなく、信心者の目からすれば、すべすべした陶質の肌にむしろ空々しささえ感じるほどだ。

しかし、信者というのは大したもので、ここでは聖母讃美の声は一段と高く、人々はわれさきにと、うず高く供えられた紅白の百合の花束ごしに、台座の上のガラスケースに手を伸ばし、握ったハンカチーフでそれに触れて少しでも恩寵のかけらにあやかろうと懸命になっているのだった。

上野公園のパンダ並みに、一人二、三分という制限時間はあっという間に過ぎ、揉み合う渦から弾き飛ばされて、気がついたときには、春風のどかな田舎町の路上に二人は立っていた。

「何も見えませんでしたね」

ようやく我に返って、ぽつりと私がそう洩らしたのは、四つ星のレストラン、「ラ・ボンボニエラ」亭に入ってからだった。

「血液は、掻き集められて」とアンナ＝マリアは答えた。「研究機関に送られてしまったのです」

まさか――。

「グリロという司教は、なかなかのデカルト主義者ですから、共産主義者たちの要求をむしろ逆手にとって、血液鑑定を受け容れることにしたのです。そろそろ結果の出るころでしょう」

「何とかそれを知る手立てはありませんか」

「お安い御用だわ。研究機関と云ったのは、ローマ大学とカトリック大学の二つです。ローマに帰ったら、鑑定担当の教授たちをあなたに紹介するから、直接質問するといいわ。ローマ大学のG=U・ロンキ教授がいいでしょう」

本当に、この女性は、魔法使いのように何でも願いを叶えてくれる。

それにしてもこれは大変なことになりそうだ。

ここではマリア顕現は、もはや医学の扉をさえ叩いている。

マリアは生きているということになるのだろうか——もし血液が本物ならば。

人体科学会会長の湯浅泰雄博士ならば、何というだろうか。

アッシジ　ヨハネ=パウロ二世の寝室

瑠璃色に輝く大広間に、その人は立って出迎えてくれた。

アッシジの聖フランチェスコ大聖堂美術館館長、パスカレ・マグロ神父である。

入って真っすぐ正面の壁面いっぱいに架けられた煉獄図の大作を背に、近づいてくる。

その絵の両端の下方には一対の天使の浮彫が配され、そこから突きだされた真っ白い翼が、左手の窓から射し入る朝日を受けて、いまにも羽ばたきそうに生々しい。

いずこも木戸ご免の案内役、アンナ=マリア・トゥリに伴われて進んでいくと、暗い大きな画面から抜けでてきたかのように現れたその人は、墨染めの僧衣を白い帯紐できりりと締め、その一端を右裾へと垂らして、一幅の肖像画を見るように優雅である。見るからに高僧らしい品位。眼鏡をかけ、凛とした立派な顔つきで、高齢を感じさせないが、還暦には近かろう。

「聖フランチェスコの館にようこそ」

と手を差し出された。

「神父さま（パードレ）」と私は頭を下げ、その手を握りしめながら、瑠璃色と感じたのは、回りの艶やかな反射光のためだと気づいた。連弾で弾くためであろうか、背後の二台のグランドピアノも黒光りを発している。そして何よりも、高々と迫りあげた天井壁画がセピア色に空気をカクテルしているのだった。

丁重に迎えてくださったこの接見の広間から、かの有名な、聖フランチェスコ大聖堂の「上の聖堂」へと通じているらしい。驚いたことに、館長みずから先立って案内していく。

しかも、それだけではなさそうだ。

ローマで、アンナ＝マリアから、「特別の部屋」を見せると聞かされていた。どんな仕掛が待つのだろう。

聖フランチェスコの生涯を描きあげた、ジオットの筆になる超ワイドの立体絵巻が、絢爛と、目の前に現れた。

一点の大きさが優に一坪ほどはあろうかという巨大フレスコ画が、全二十八点、粋を凝らした巨大なゴチック風穹窿(ネフ)のもと、整然と左右の壁面を飾り、前ルネサンス芸術の輝かしいパースペクティブをつくっているのだった。

むしろ武勲によって身を立てようとした多情多感の一青年ジオヴァンニが、一夜の霊夢によって変身し、大聖人となるに至った波瀾万丈の生涯が、徐々に荘厳にフラッシュバックされていく。ローマから生地(せいち)のアッシジに戻り、「教会を破壊より救え」との天の声を聞いて、決然、それまでの富裕遊蕩の身を擲って清貧求道の托鉢僧へと転ずる前半生——。乞食に自分のマントをあたえる場面があり、全財産を寄進したことから父の逆鱗に触れ、恩愛の絆を絶ち切って、ある司教のもとに逃避する場面がある。やがて、ジオヴァンニと、その連れの前に、一人の天使が顕れて、空席の玉座をさししめす……

「高徳の僧が幻像を見ると」と私は、かたわらの館長に語りかけた。「脇侍の人も同時にそれを見ることができるというのは、本当なんですね」

「聖フランチェスコは、少なくともそのようなことが四回起こったと書き残されています。仏教の世界ではいかがですか」

「仏陀は、あるとき、弟子の一人から、仏国土とは如何なるものですかと問われて、立ちどころにそれを現成し給えりと仏典に書かれています。日本では、明恵上人が——ご存じのとおり聖フランチェスコと同時代です——あるとき、白象に乗って顕現する普賢菩薩を見たところ、二人の脇僧も同時にそれを見ることができたということです」

こう聞いてマグロ館長は、次のフレスコ画を示して云った。

「ご覧なさい。ヴィジョンはヴィジョンに通じ、夢は夢に通じるのです。時の法王インノケント六世もまた、一夜、ある夢を見ました。その夢で、若きジオヴァンニは、ローマの廃墟で、ラテラノの聖ヨハネ礼拝堂を起こそうとしていました。ここから法王は、彼の友愛協会の支持を表明するに至ります。この絵で、しかし、法王は、青年の前でうなだれて描かれているでしょう。ミサを挙げるのは法王の側だったわけですが……」

そこからまさに、聖フランチェスコが偉大なミスティックとなる後半生が始まったのだった。それは奇蹟の連続だった。

法悦の極において神と会話する場面があり、有名な「小鳥への説教」の場面がある。これについて館長はこうコメントした。

「ピウス十二世も小鳥と会話しました。訪日して、高山寺の鳥羽僧正の『鳥獣戯画』を見ています。ほかにも、樹下で小鳥と話した聖人たちがありますが、聖フランチェスコほどではありません」

そしてもう一つの決定的に重要な奇蹟、「ヴェルナ山上での聖痕」の場面が来る。六つの翼を持った熾天使（してんし）からレーザービームのごときが聖人の体に放射され、キリストの受難と同じ五ヶ所の裂傷が印づけられた光景が描かれている。

すると、このときまで黙々と同行して来たアンナ＝マリアが口を開いた。

「キリスト教史上、初めての出来事だったのです」

聖痕という摩訶不思議な現象についても、彼女は並々ならぬエキスパートである。

しかし、私は、ある緻密な研究書*によって、聖フランチェスコにやや先立って、同じ十三世紀に同類の聖痕現象がヨーロッパに同時多発していた事実をあらかじめ知っていた。奇妙な共時性というほかはない。ただし、それらの経験者たちは、精神異常者あつかいをされるか火炙りにされるかしてしまったわけであるけれども。ひとり、聖フランチェスコの受けた「スティグマット」（傷跡）のみが聖性の印――「聖痕」とされた。

＊ハーバート・サーストン著『身体現象のミスティシスム』、一九五一―一九六一年、英仏語版。

だが、事もあろうに、アッシジで、二人の権威を前に、そんな知ったかぶりのことを口走るわけにはいかない。代わって私はこう云った。

「聖痕とは、イエスの受難という元型があって生じたことでしょうから、完全にキリスト教文明独自の現象であって、東洋にはありませんね。それにしても、聖フランチェスコの最大の重要性はどこにあるのでしょうか」

「神と人と自然を一つにしたことです」と神父は即答した。「概念ではなく、です」

「そうしたことは、それ以前にはなかったのでしょうか」

「まったくありませんでした」

そして一呼吸置いて、付け加えた。

「仏陀も、ムハンマドも、予言者でした、しかし、神ではなかった。キリストのみが、神なのです」

本当だろうか。

不信心者は内心、こう呟(つぶや)いた。

フレスコ画の上部に高々と並んだ玻璃絵窓から、自然光が七彩に分光されて、神への頌歌(しょか)としてしたたり落ちる、この神聖空間にあって、神父の言葉は、バッハのミサ曲さながら、いかにもこの場にふさわしい響きを持っていた。しかし、もし伊勢神宮の五十鈴川のほとりで云われたとしたらどうであったろう。

キリスト教信仰から見れば、神道的霊性は、いかに純粋であろうとも、究極には「イエス・キリストの御名（みな）」へと収斂すべきプロセスの「見透し」――通過点――にすぎないということを、私は聞いていた。筑波シンポジウムに参加した熱情的ミスティック、オリヴィエ・クレマン師が帰国後、カトリック新聞に発表したそのような見解を忘れたことがない。しかし、ほかならぬここアッシジで、彼我の霊性の違いを論ずるような愚は差し控えねばなるまい。差異をこえてわれわれはどうむすばれるか、その可能性をここ以上に崇高に啓示している場は他にはないからだ。そこで、これまで心中に煮詰めてきた考えを、ずばり、こう述べた。

「聖フランチェスコが天使たちの世界と通じた神秘を、私は信じます。亡くなる二年前に、聖母マリアと大天使ミカエルに祈って、聖痕を授かっておられますね。しかし、同様に日本でも、浄土を信じた法然上人が、諸菩薩の来迎を受けて往生を遂げています。イタリアと日本をむすんで同じ十二、三世紀に、互いに影響関係なく、このような彼岸と此岸の往還の思想が共時的に生じたことは、真に人類史の奇観と申すほかはありません……」

こう云いながら私は、死の床で何物かを見て「凄い（エパタン）」と最期の言葉を残した中世日本仏教学者ベルナール・フランク氏のことを思い浮かべていた。もはや、往生に国境はないのだ。

「神父さま」と、そこで、呼びかけて言葉を継いだ。「問題は、次なる文明に、われわれがふたたび天使の世界とどうむすぶかではないでしょうか。そしてその時代は、すでに始まっているのでは……」

「おゝ、シニョール・タケモト」

と、パスカレ・マグロ神父は、大柄な体の歩みを止めて、喜ばしげに両手を広げて応じた。

「それこそは、私共がアッシジをとおして世界にアピールしていることなのです。聖フランチェスコが宗教者間の対話の先駆者と見られていることは、ごぞんじでしょう。現ローマ法王のヨハネ＝パウロ二世は、ここから、一九八八年に、アッシジで世界宗教者たちの祈りを主宰されました……」

さしもの長いジオットの壁画群も、ちょうどそのあたりで終わろうとしていた。あたかもわれわれの会話を証立てるかのように、最終部分に「聖フランチェスコの魂が天使たちに迎えられる図」があり、ついで、「聖女キアラが遺骸を安置する図」があって、しばしその玲瓏たる大傑作の前で三人は歩みを止めた。

真昼間なのに、上部の玻璃絵窓から射し入る斑模様の自然光は、そのあたりに仄暗い影をつくり、より深い瞑想へと引きこむようで、まるで深い神域の森から抜けでてきたかのような厳粛な気分に私は浸っていた。

その様子を神父はじっと見ている感じだったが、潮時と見てふたたび先に立ち、大建築の一角へと導いていく。

「小鳥への説教」の姿そのままの、慶しみを形に表したかのごとき、背をかがめた独自のポーズの聖フランチェスコの彫像の前を通り、聖遺物を収めた聖櫃の前を通って、巨大な建築物のある方向へと。

やがて、ひっそりとした廊下の果てに出た。

「ここは余人に見せない場所ですが……」

そう云いながらマグロ館長は懐中から鍵を取りだして、目の前の扉を開けた。

八畳たらずの小部屋で、真ん中にシングルベッドが一つあるだけ。家具もない。

ベッドの頭部の壁は、いくつかの画像で飾られている。そのすべてが聖母像であることに私は深く印象づけられた。左手に、図鑑で見知ったある一点が架けられているのを見て、思わず私は、「あ、あれは」と声を立てた。

右頬を縦に二筋、切りつけられた跡が生々しくそのままに残った、ポーランドの聖母

1

2

1. 「御身はポーランドの王妃なり」。幾たびも国難を救った奇跡の聖母像。イコン。アッシジのヨハネ=パウロ2世の寝室のベッドの傍に飾られていた。不思議な金色の光が映り込んでいる。著者撮影(112頁)。
2. 『マリアはなぜいま顕れるか？』の著者、アンナ=マリア・トゥリと、アッシジのフランチェスコ大聖堂美術館館長パスカレ・マグロ神父。神父は秘密の小部屋へと著者を案内する…(103頁)

像である。

得たりとばかり、神父は応じた。

「そうです、ここは、ヨハネ＝パウロ二世の寝室なのです」

そしてこう付け加える。

「もちろん、本物は、ヤスナ・ゴラの修道院にあり、これは法王が作らせた複製ですが」

マリア像の神秘、ここに極まると、しげしげと私は画像に見入った。

典型的なイコン、しかも「黒聖母像」だ。

そう呼ばれるが、顔色は、正確には褐色をしている。エチオピア人のような肌色で。金色に縁取りされた百合の花紋様のヴェールを肩まで纏い、両頬は、耳もとから目深に影に沈んで、いっそう荘厳さを深めている。目は、鳶色（とびいろ）、であろうか。もちろん、ブルーではない。やや面長で、鼻梁も長い。右眼に一点、小さな光を点じ、見ようによっては涙の一滴とも見えないことはない。かすかにゆがんだ感じの口元と相俟って、硬い表情のうちにも悲劇性を宿している。

聖母は、本当に泣いているのだろうか。が、その手に抱かれた御子はまだ頑是ない嬰児（みどりご）だ。その子が磔刑（たっけい）の運命をたどるのは、まだ遠い先のことだ。聖母は、もうそれを見ているのかもしれない。

さらに目をこらすと、おゝ、これぞ、不思議な暗合というべきか、幼子は右手を上げ、人差指と中指の二本を突きだして何かを示しているが、そのすぐ先には画中のマリアの受けた二本の切り傷が痛々しく走っているのだった。

「そうです……」

と、私の視線を注意深く追っていた神父は、こちらの心中を見透したかのように言葉を挟んだ。

「この聖母がポーランドの王妃と呼ばれるわけは、そこにあるのです。オリジナルは、十四世紀に聖山ヤスナ・ゴラに建てられたノートルダム寺に祀られていますが、相継ぐ国難のたびにマリアが顕現して救国の奇蹟を示したことから、国民的尊崇の的となりました。頬の傷は、韃靼人の侵略の折に兵士の剣先で切りつけられた跡です。そのとき、すでに流血の奇瑞が見られたといいます。以来、マリアは、ポーランドがプロテスタントのスウェーデン国王の軍隊に攻めこまれたときに、敵の将軍に顕現してこれを畏怖せしめて撃退したり、トルコ軍に攻囲されたときには、突如、敵軍を黒雲で覆い、激烈な落雷と雹を降らせてこれを潰走せしめたりと、何度も信じがたい奇蹟を見せて、カトリック王国ポーランドを守ってきました。第二次大戦後も、この黒聖母像は、二度、涙を流し、大勢の国民を共産党から離脱させて、信仰の原点に立ち返らせて今日に至っています」

こう云いながら館長は、ここで画像に向かって十字を切り、語調を改めてこう結んだ。

「ポーランド出身の最初の法王であらせられるヨハネ＝パウロ二世は、ファティマに顕現したマリアの召命に従ってソ連帝国を回心させるにあたり、この画像に祈って献身の決意を固められたのです」

ついで館長が「デヴォシオン＝献身」と云ったとき、ちょうど私は、ベッドの足もとのほうの、やや凹んだ壁の空間——龕（がん）——に架かった別の画像を見ていた。おそらく、「聖セバスチャンの殉教」であろう。そこには、やや首を傾けて天を仰いだ部分しか描かれていないが。描かれていない裸身は矢に射貫かれているはずだ。

「聖セバスチャンの殉教」は、楕円刑の立派な額縁に収められ、二基の高い燭台に挟まれて、そこにあった。

ローマからここアッシジを訪ねるたびに、ヨハネ＝パウロ二世、現法王は、燭台に灯ともして、この寝室でひとりマリアに祈るとともに、自らを贄（にえ）にしてもと、聖セバスチャンの霊に誓うのであろうか。

最高位にある人の祈りとは如何なるものか、その一端をかいまみる思いであった。

「聖母マリアは日本の観音さまと思ってきましたが」と私は溜息をつく思いで云った。「どこか違いますね。ミゼリコルド（大慈大悲）、奇蹟といった点では似通っていますが……。マリアのほうが、ずっと戦闘的です！」

「そう云えるでしょうよ」とマグロ神父はきっぱりと云い切った。「ヤスナ・ゴラ山修道院の聖母は、ポーランドでは、実際に《戦いのマリア》と呼ばれて崇められているのです。かの国では、国歌のようにこう歌われています……」

黒聖母像の脇で、パスカレ・マグロ館長は、ここで神父の姿に戻って、やや左足を引いて腰をかがめ、恭順な姿勢を取った。左脇に垂れ下がった腰帯の銀線が、一本の杖のようにすっくと立ってみえる効果に私が目を奪われていると、低い抑えた調子で神父は吟じはじめた。

御身（おんみ）は　御民（みたみ）を　戦に備へさせ給へり。
御身は　イスラムを挫（くじ）き　傲（おご）るトルコを下し給へり。
御身は　御衣の中に我らを庇（かば）ひ給へり。
守れかし　おゝ　勁（つよ）き聖母よ　御身の王国を。
忘るなかれ　御身は　我らの王妃なることを……

そこまで吟じて神父は元のように身を起こし、しばし私は厳粛な余韻に浸っていた。

すると、それまで沈黙を保ったまま神父と私の会話を聞いていたアンナ＝マリアが、つと、私を窓辺に連れていき、外を指さした。

法王の寝室が大聖堂のかなりの高みに位置していることに、そのとき初めて私は気づいた。もともと、アッシジの大聖堂そのものが、日本の高野山に似て高所に建てられているのだが。はるか下方からウンブリア平原が広がっている。一本の川が眼下で二本に分かれ、それらが大きく広がるにつれ、草原と森も青々と広がって、その果てはトスカナ地方であろうか、春霞のような雲が湧いて、空と地平を溶きまぜて、茫洋たる灰色一色の中に溶かしこんでいる。

「あの果てのどこかにポーランドがあるのね」

とアンナ＝マリアは溜め息をつくように云った。

「そこに、昔々、このマリア像は、ビザンチン帝国の首都、コンスタンティノポリスからポーランドにお輿入れしていった。そして東西に分裂した世界をむすびあわせるために、ヨハネ＝パウロ二世のもとに帰ってきたの」

そうだ、その「むすび」の意思としてマリアは繰りかえし顕れてきたのであろう。冷戦後、すでに新たな分裂の始まった人類世界に、これからもまた、おそらく――。

平原のはるかかなたから二本の道が寄ってきて、ここアッシジの高原で一本にむすばれる窓外の景色を、シンボルのように私はじっと視つめた。

ローマ三泉寺の聖洞窟

こういうことが本当にあるのだろうか。

西歴三八年、サウロと名乗るローマ軍団長が、キリスト教徒撲滅の命をおびて「ダマスコの道」を急ぎつつあった折しも、突如、大光芒に打たれ、かつ「なんじ、なにゆえ我を迫害するや」との声を聞いて、三日間盲目となり、キリスト教徒に回心した。ここから彼はパウロと名を改め、広く回国伝道し、西暦六七年、ローマのラウレンティナ古道で皇帝ネロの命により処刑された。

そのことなら、あえて語るまでもない。キリスト教黄金伝説のトップの出来事である。ところが、それからおよそ二千年後の一九四七年の四月十二日、ブルノ・コルナッキオラというイタリアの共産主義者が、同じラウレンティナ古道のパウロ処刑ゆかりの地で、聖母マリアの神秘性批判の講演原稿を草しつつあった折しも、現実にそこにマリアが顕現し、「なんじ、なにゆえわれを迫害するや」と問われて回心し、一転、全生涯を挙げてマリアの神徳を讃える境涯に入ったのである。

ここから多くの驚嘆すべき奇蹟が相継ぎ、トレ・フォンタネは、ヴァチカンの庇護を得て聖地の一つとなった。

その現代神話の発祥地の一つとなった洞窟の入口に、いま、私は立っている。「天啓の乙女」（LA VIRGINE DELLA RIVELAZIONE）と大書したアーチに迎えられる。顕現したマリアが自ら名乗った名前だ。

足を踏み入れて、見たことのない異様な洞窟の光景に、まず、ぎょっとした。入口から奥に向かって、車椅子や松葉杖が、まるで大きな蝙蝠（こうもり）の群れのようにびっしりと天井からぶらさがっているのだ。

日本の神社仏閣の境内で、願い事を書いた絵馬が鈴なりに樹木などに架けられている光景は、お馴染みになっている。だが、大抵は願い事ばかりで、お礼の奉納はめったに見ることがない。いささか現金すぎるように私などは感じてきた。ところが、ここでは、これらのエクス・ヴォト（奉納品）は、ほとんどが、難病治癒の祈願を聖母が聞きとどけてくれたことなどへの感謝として奉納されたものばかりなのである。

名にし負う霊験あらたかの聖地と、私は緊張して、重量級の奉納品のぶらさがった下の暗がりを進んでいった。

ブルノの前に姿を顕したマリアの、その顕れたままの姿の彫像が祀られているという洞窟の奥へと――。


アッシジから帰った翌日のことだった。聖パウロゆかりの地で、しかも現在進行形の顕現の場として有名な、ここトレ・フォンタネへと私が連れてこられたのは。

「トレ・フォンタネ」とは「三つの泉」を意味する。古くからその名を冠した修道院があり、私は勝手にそれを「三泉寺」と呼んできた。次のような縁起が伝えられている。

事は、ラウレンティナ街道で聖パウロが処刑されたときに遡る。パウロが斬首されたとき、首は三度バウンドして地面を転がり、そこから三つの泉が噴き出たという。

しかし、泉そのものの由来はさらに古い。その地は、キリスト紀元前に、すでに「アクエ・サルヴァエ」(霊癒水)の湧出をもって知られていた。古代ローマの市民は、南方郊外のその地まで水を汲みにやってきた。現に、マリア顕現の聖地となった丘の斜面は、いまなお「アクエ・サルヴァエ谷」の名で呼ばれている。

聖パウロの殉教後、最初、六世紀半ばに、南アルメニアから外敵の侵入を逃れたギリシア人僧侶たちによって、同地にグレコ・アルメニア寺が建てられた。それから二、三度、別の宗派の聖堂に変わったあと、最終的に「三泉寺」に落ち着いたのは十二世紀に入ってからのことだった。

私自身にとっては、「ローマ三泉寺」にこだわる格別の理由があった。かのベルギーのオルヴァル僧院は、ここから移住した修道僧たちによって建てられたものにほかならなかったからだ。オルヴァル僧院で修行したノストラダムスは、幻視者たるべく運命づけられていたということである。

さて、話は一挙に飛んで二十世紀となる。

ここに、前述のごとく、ブルノ・コルナッチオラという名のローマ市民がいた。一九一三年生まれで、事件が起こったときは三十三歳の市電運転手だった。インテリで、共産主義者、かつスペイン内戦中、人民戦線派に加わってこれに参戦したほどの熱血漢で、筆も立ち、弁も立った。しかも、スペインで影響を受けたらしき「キリスト再臨派」というプロテスタント系新宗教の戦闘的一員だった。このことは、後に起こる驚天動地の奇蹟の原因となったことで、やや煩瑣だが、これを抜きにしては事件の本質は見えてこないので、一言すると――

十九世紀に北米で興った「キリスト再臨派」（アドヴェンティスト）とは、終末論における千年王国(ミレニアム)の到来以前にキリストが再来すると信ずる新宗教である。ただし、三位一体のような神秘を徹底排除し、マリア崇拝とは真っ向対立の立場だった。キリストの神性は認めるが、マリアの処女懐胎、すなわち「無原罪の御宿り」などはちゃんちゃらおかしいというわけである。しかし、「キリスト再臨派」は、聖書原典主義と克己的道徳をアピールして成功し、バプテスマ教会など多数のブランチを擁し、世界二百ヶ国以上にまたがる強大な組織にまで発展するに至った。ちなみに日本には、つとに十九世紀の創設後まもなく導入されて、現に百以上の教会を数える教団勢力となっている。

このような反神秘主義的、左翼的新宗教の、ブルノ・コルナッチオラは指導的闘士だったのである。

ローマ市内を走るチンチン電車の車掌とは、世を忍ぶ彼の仮の姿で、実際は理路整然たるイデオローグであり、朗々たる声音をもって聴衆を魅了する雄弁家であり、運命のその日の翌日にもある講演会をぶちあげることになっていた。彼を慕う青年たちの集会で語る予定で、その主題はまさに、カトリックの欺瞞性を完膚(かんぷ)なきまでに打ち砕くというものだった。

攻撃の矛先は、ぴたり、マリアの「無原罪の御宿り」に据えられていた。

その日、良き父親でもあるブルノは、三児を連れてトレ・フォンタネの地に散策に出かけてきた。小高い丘から下る途中に、ユーカリの木に囲まれた、開かれた一画があったので、そこに陣取った。向こうに一つの洞窟が見える。十歳になる長女のイソラと、七歳の長男カルロの二人にはボール遊びをさせ、末っ子の男の子、ジアンフランコは手元に置いて、さてこれから自分は講演原稿を書こうと、かたわらの岩の上に腰を下ろした。悠然と草案を練りはじめる。マリア批判は「再臨派」の厳たる掟である。これを遵守して青少年を迷信の害毒から守らなければならぬ。彼は持参した聖書を開いた。カトリック教会が認めるマリアの神的属性を一つ一つ論破すべく、ページを繰って粗探(あらさが)しを始めた。すでに彼の耳には明日の聴衆の喝采が鳴り響いていた。

しばらくすると、上の二人の子が、パパ、ボールが見えなくなったよと云って駆け戻ってきた。ブルノは下の子に絵本をあたえて、長男のカルロを連れて茂みの中でボールを探しはじめた。イソラは洞窟の向こう側の丘の中腹にいた。おちびさんが穴にでも落ちたら大変と気がかりで、ブルノは時折、声をかけては三歳児の返事を聞きながら探しつづけていたが、ふと、返事が聞こえなくなった。不安に駆られて戻ると、ジアンフランコがいない。童子は、いつのまにか、洞窟の前に行ってしまっていた。見ると、その入口の左側に跪き、小さな両手を合わせている。目の前に誰かがいるように、にここにこしながら、「きれいなおばちゃん、きれいなおばちゃん」と叫んでいる。ブルノはたまげてしまった。そんな「おばちゃん（ダーム）」など、どこにも見えなかったからだ。第一、プロテスタントは合掌をせずに立ったまま祈るので、そんな姿勢は教えたこともなかった。「おおい、イソラ」とブルノは外で花を摘んでいる女の子を呼んだ。カルロ、イソラと一緒に末っ子に近づいていった。ところが、ジアンフランコは相変わらずのトランス状態で、びくりとも動かない。「何か見えるかい」とブルノは他の二人の子に尋ね、「何も」との返事を訊いたが、その言葉が終わらないうちに、今度はイソラが、がくんと膝を折った。両手を合わせ、洞窟の一角を指さしながら、これまた、「きれいなおばちゃん」と叫ぶのだった。みんな、パパをからかっているんだと、ブルノは考えた。でなけりゃ、洞窟は魔法にでもかけられているに違いない……

まともなのは、この俺さまとカルロだけだと、ブルノは、上の息子に向かって「お前はだいじょうぶだよな」と声をかけ、「だいじょうぶだよ」との返事を聞きかけたところ、この子までが跪いてしまった。いまや、三人の子供がみんな、何物か幻を前に両手を合わせ、石のように動かなくなってしまったのだ。

さあ、ブルノはパニックにとらわれた。髪の毛も逆立つ思いで、一人ずつ子供たちの肩を揺さぶっては、しっかりしろと叫んだが、その声も届かばこそ、三人は揃いも揃って、あらぬ一点を見据えて、化石してしまっている。何か見えるのかと哀れな父親は目をこらしたが、奥には洞窟の暗がりが広がっているばかりだった。

これは間違いもなく悪魔の呪いだと、ブルノは考えた。

そこで、つくづくと三児の様子を観察した。三人が三人とも、透きとおるほど顔色は青ざめ、目の瞳孔は開きっぱなしになっている。おゝ、神よ、我らを救いたまえと、祈りが思わず肺腑を衝いて出る。と、そのときだった。彼は、二本の手が後ろから自分の体を前へと押しやるように、そして一枚のヴェールが目の前を上がっていくように感じた。そのとたん、洞窟が眼前から消え、体は肉がなくなったように軽くなり、久遠の光につつまれたかのように感ずるや、そこに「天国の」としか形容のしようのない女人の姿を見た。何という荘厳な美しさの顔であろう。顔色は、東洋の女性のようにやや褐色系といえようか。髪は黒髪で、ふさふさと垂れ下がって、羽織ったマントの外に少しはみでている。そのマントは頭部から体全体をすっぽり覆って、足もとまで両脇に垂れている。マントの色は、春の若草色だった。純白のローブを纏い、これを薔薇色の帯が引き締めて、帯の両端はふうわりと両膝のあたりまで垂れて。足は、はだしで、一個の巌塊の上に乗っている。この世ならぬ神々しさの女人の背丈は、ほぼ、一メートル六十五センチ、と見た。女人は、優しく、悲しげだった。

信じがたい光景を目前にして、ブルノ・コルナッチオラは気も狂わんばかりだった。叫ぼうとした。語りかけようとした。だが、声は喉に張りついて、痲痺したように出てこない。のみならず、いつのまにか彼は、自身、子らと並んで跪き、両手を合わせているのだった。ひたすら、ただ祈って。

幻影の女性は、右手に小さな灰色の本をかかえていたが、おもむろに左手を上げ、地面を指さした。

そこには、一着の黒服が横たわっていた。

かたわらに十字架が投げ出され、それは打ち砕かれていた……

*

「初めてここでマリアの顕現を見たブルノは、さぞやショックだったでしょうね」

と、私は、先導するアンナ＝マリアに云った。

われわれは洞窟内を奥へと進んでいくところだった。

「それからが大変だったんです」

と彼女は振り返って答える。

洞窟の奥は、まだ先らしい。道は前方、左へとカーブしている。通路はＵ字型を逆さにしたように曲がっていて、その曲がり角に聖像は祀られているらしい。このあたりでは車椅子や松葉杖は尽きて、恩寵に浴した人たちの写真が両側の壁面いっぱいに増えてきた。感謝の言葉を書きつらねた色紙やハート型の絵も混じっている。

そこで二人は暫し歩みを止めた。

「ご本のおかげで」と私は云った。「ブルノ・コルナッチオラの見神の模様が手に取るようにわかりましたよ」

「ぜんぶ、わたし自身が彼にインタビューして書いたことですから」

「顕現の光景は繰りかえし読んで、ほとんど暗記してしまいましたよ。このあと、重要な名乗りの場面となるわけですね。マリアは、われは《天啓の乙女》なりと名乗っていますね。これは日本人にはなかなか分かりにくいので、説明していただけませんか」

「《天啓》とは《黙示録》のことです。マリアは自らを《黙示録の乙女》と名乗ったということになります。旧約聖書に、《太陽を着た女》というのが出てきますね。イエスの母であるとともに、本身は、それであると、啓示したということです」

「それは大変なことを云ったものですね。つまり、根源を啓示している。あとで、もうちょっとこの問題は話し合いたいと思います……」

ちょっと間を置いて、私は続けた。

「ともかく、ブルノの目には、ベル・ダーム――きれいなおばちゃん――とは聖母マリアであるということがアイデンティファイされたというわけですね。この名乗りのあとでマリアは、ブルノに向かって、なんじ、なにゆえ我を迫害するや、もはや耐えがたし、というのですね。ブルノは、さぞ震えあがったことでしょう」

「二千年近く前に、ダマスコの道で、イエスがサウロに顕現して云った言葉と同じですからね。サウロがパウロとなって首を切られたラウレンティナ古道は、この洞窟の先の崖下に走っているのです」

「地縁」とはこのことであろう。

修道服をきた三人づれが、アヴェ・マリアと唱えながらわれわれを追いこしていく。その後ろ姿を目で追いながら私は云った。

「その後、ここ、トレ・フォンタネは立派な聖地となったのですね」

「そのための指示を、マリアは、こまごまとブルノにあたえています。最初の顕現は、午後四時一〇分から五時三〇分まで、一時間二〇分もの長時間にわたって行われました。鈴を振るような美しい声だったといいます。ところが、この声のほうは、三人の子供たちにはぜんぜん聞こえなかったのです。ただ、マリアが脣を動かしているのが見えただけでした。その間、しかし、トランス状態で固い砂利に膝をついていることは大変だったようで、終わったときは子供たちの膝は真っ赤になっていたそうです。マリアの言葉は、ブルノは一語も聞き洩らさず、家に帰るや、ぜんぶ正確に書き写しました。そこには、今後、彼の取るべき活動指針と、メッセージと、恐るべき予言が含まれていたのです」

「予言は世に伝えられたのですか」

「一部は封印されたままです。でも、法王は見たでしょう」

「予言には、ファティマと同じような驚天動地の奇蹟の予告があったとか」

「それはすでに実現しました。でも、タダオ、ここでの立ち話でも何ですから、先にお詣りするとしましょう。それに……」

と云いさして、意味ありげにアンナ゠マリアはほほえんだ。

「……残っていることがあるでしょ」

数分後、その彫像のまえにわれわれは佇んでいた。

洞窟の行き止まり、土色の漆喰を塗った背景の壁の前に、等身大のマリア像は静やかに立っている。ブルノが見たヴィジョンどおりの正確な再現なのであろう。「優しく、悲しげな」表情。白衣に、青い――「春の若草色」の――マント。薄い薔薇色の帯。そして「灰色の本」を胸にあて、両手に捧げ持っている。

砕かれて地に落ちていたという十字架は、ここにはなかった——もちろん。マリアのトリビュートとされる百合の花、これだけは本物の花が、グラジオラスとともに溢れんばかりに回りに活けられている。

世界中に顕現したマリア像の膨大な写真がヴァチカンにはデータ保存されていることを私は知っていた。その中のどれ一つとして同じ姿のものはないということも。口さがない人々の間では「マリアのファッション・ショー」ということさえ云われている。いつも同じ衣装で出てくるような無粋なまねはしない。だがそれは、おしゃれのためではなさそうだ。マリア顕現研究の第一人者、ルネ・ローランタン神父によれば、「永遠」から「時間」の中へ降りてくることの証左であるとか。

衣替えをして——お色直しとまでは云わないが——出てくるということは、いかにも、生きているということの徴であろうか。既成の映像、動画のリピートではないという——。

復活したイエスが、弟子たちの前に、庭師や「エマオの旅人」という変容した姿で顕れたことにも通じるのであろうか。

にもかかわらず、顕現するマリアは、顕現するイエスと同様に、字義どおりにこの世に生きているというわけでもなかった。墓地から庭へと歩くイエスの袖にすがりつくマグダラのマリアに向かって、イエスは、いま自分は「天上に向かう」途上にあると云って、彼女を付き離している。

とすると、どういう領域、場において、事は起こるのであろうか。

ほかにも、疑問は山ほどある。それに今日は、ラストデイ・イン・ローマだ。アンナ＝マリアにマリアを問う最後の機会となろう。心に期して洞窟を後にした。

太陽の奇蹟

洞窟を出るとすぐ右手に巡礼用の茶店があり、そこのテラスに二人は腰を落ちつけた。四日後、一九九七年四月十二日は、「黙示録の乙女」の第一回の顕現のちょうど五十年目の大祭にあたっている。さぞやここは大賑わいだろう。今日は閑散として、ほとんど人気(ひとけ)もない。

「毎年、その日には、いま私たちが坐っている丘の上から麓まで巡礼団で埋めつくされます。しかし、忘れられないのは、第三十三回目、一九八〇年の記念祭の時のことです。その日、ここの場所を中心に」と云いながらアンナ＝マリアは右手を伸ばして大きく半円を描いた。「マリア顕現史上、最大の奇蹟の一つが起こったのです。それは……」

それは、ブルノ以外には誰も予期しないことだった。

前年の十一月、祈りのさなかにマリアは顕れて、彼にこう予告していたのだ。「来たる三十三回目を期して、わらわは、恩寵のはたらきを存分に見せるであろう。すなわち、太陽の奇蹟を」と。

「しかし、このことは、固く口をつぐんで誰にも洩らしてはなりませぬ」とも申しわたされた。

そうとは知らない人々は、その日、続々とここに詰めかけ、その数三千人に達した。その前で、まだ若いグスタヴォ・パリシアル神父をはじめとする八人の司祭によって厳粛に合同ミサが執り行われた。儀式は粛々と進み、聖母の御心への奉献という一番の感動的山場へさしかかった。午後五時五十分、誰かがふと空を見上げて、あ、太陽がと叫んだ。回りも気づいた。太陽は、多彩な色彩の巨大な車輪のように見えた。円を描いてぐるぐる高速回転しながら、空いっぱいに七彩の光を射放って……

同様の太陽の奇蹟は、その二年後にも起こり、四年後にも起こった。

二年後、一九八二年のそれは一時間続き、特に、ミサを挙げたオスヴァルド・バルドゥッキ神父の記録が残っている。太陽は、純白と薔薇色の二つの円環の中の、まばゆい緑色の円盤と化し、そこから放射される様々な色彩は、群衆をも風景をもつぎつぎと染めあげた。またしても、マリア三彩である。その間、太陽は、いくら視つめても網膜に損傷を起こすことなく、これは全ての人にとっても同様だった。

それからさらに二年後、一九八四年四月十二日のトレ・フォンタネ記念祭にも同様の奇蹟は生じた。太陽は、時に深紅、時にエメラルド・グリーンと色を変えながら昼をあざむく大光耀を発し、最後には幾筋もの巨大な光条を、空から、丘を埋めつくす何千という人々の頭上へと降りそそがせたのであった。

その日の出来事は映像に記録された。映像作家、ポンペオ・サントレリが、仲間とともに現場で記録した。最初は、フィルムを焼き切らずに太陽にレンズを向けることは考えられなかったが、そのうちに、肉眼でも視つめられるのだから映写機でも大丈夫だろうと判断し、まず、こわごわ斜めにレンズを向け、そのうちに正面から、ばっちりと撮った。こうして、空前絶後の「光体の搏動（はくどう）」は貴重な動画として残された……

アンナ゠マリア・トゥリの長い物語は終わった。

実際にはそれは前篇にすぎなかったのだが。そのあと、物語の主人公、回心したブルノに彼女が会いに行って聞いた、これまた驚くべき続篇が残されていたのであるから。

ともあれ、私は暫く声もなかった。

「太陽のダンス」なる奇蹟は、いままで読んではいた。特にファティマで世界的に有名となった現象である。だが、同様の出来事が、ここローマでも起こっていたとは！　しかも、その現場、トレ・フォンタネの洞窟前で、この道の権威のイタリア女性から生々しく実況を聞くとなれば、これまた大違いである。

急に喉の渇きを覚えて、私はオランジナを注文した。アンナ＝マリアはココアを頼んだ。

張り出したテラスは、屋根がなく、午後の日光に晒されている。

あの太陽が本当に「ダンスした」——多くの目撃者に共通の表現をかりれば——のだろうか。左前方に傾きけたお日さまを試しに見ようとしたが、もちろん正視できるはずがなかった。

オランジナの泡立つ炭酸を心地よく舌の先に感じながら周囲を見回した。いまやローマ市内に編入されたとはいえ、一見、変わりばえのない風景である。遠くにサイプレスがひょろ高く生え、笠松がずんぐりと屈み、至って清潔な白い町並みのあちこちに、レンギョウの淡い黄色、木蓮の薄紅色が春を彩っている。

現実はつねに圧倒的だ。

だが、過去は、本当に流れ去ったのだろうか。未来はまだ来ないのだろうか。日本の禅師道元の言葉が聞こえてくる。「しかあれば、松も時なり。竹も時なり。時は飛去（ひこ）するとのみ解会（えこ）すべからず……」。時間は飛びさるとばかり思ってはならないというのである。その目で見たら、どうか。

半眼を閉じてみた。

眼下、ラウレンティナ古道に、ずらりと十字架が立っている。処刑された肉塊が一つずつそこに張りつけられて。カラスの飛び騒ぐなか、一人の神々しい男が引き立てられてくる。まさかりが振り下ろされる。首が飛ぶ、三回、バウンドして……

光景は一転して、幼い私は日本で歌舞伎の舞台を観ている。初めて両親に連れられて観た演目にしては刺激が強すぎた。薄青い照明のもと、陰惨な東海道、鈴ヶ森の刑場に白井権八が引き出されてくる。張り付け獄門の運命の場へと。はっと目覚めると、実は彼は、吉原に通う駕籠の中で夢を見ていたのだった。眩しいばかりの花の吉野町。馴染みの太夫が待っている。あざやかな、日本のカブキなればこその技術を駆使しての、暗転——。しかし、白井権八の見たのは、夢ではなかったのだ。

目を見開けば私は、東海道ならぬラウレンティナ古道の近くにいた。松も時、竹も時、何事も飛去せず……。とすれば、ヴィジョンこそリアリティ、まぼろしこそうつつなのではあるまいか。

そのトータルな時間の中で奇蹟は起こるのでは――。

「ここに顕れたマリアが」と私はアンナ＝マリアに云った。「われは黙示録の乙女なりと名乗りしたということに、僕は大いに感銘させられましたよ」

こちらが幻想にふける様子をやや不安げに見守っていたアンナ＝マリアは、微笑を含んで「ウイ」と答えた。私は続けた。

「改めて、黙示録に出てくる《太陽を着た女》というイメージを思わずにいられませんね」

「そのとおりよ」

と彼女は勢いづいて応ずる。

「奇跡を見た群衆の中に、その乙女は、十二の星で飾られた宝冠をかぶっていたと証言した人がありましたね、それはまさに黙示録中の表現ですものね」

「そのとおりよ、タダオ」

と我が意を得たりばかりに答える。

「僕はまた、日本神話のアマテラスのことを思いだしましたよ」

「太陽女神ね」

「そうです。やはり洞窟から出てきます。トレ・フォンタネの洞窟前に集まって太陽のダンスに感動した人々は、天の岩戸びらきで歓呼の声を挙げた八百万の神々を思わせます。しかし、マリア顕現は、なぜ、しばしば洞窟なんでしょうかね。ルルドの例は云うまでもなく。それから、ファティマの例のように、樹木の茂みというのもありますね」

「西洋では、ギリシア時代に、巫女たちが薄暗がりで幻視したことに通じます。樹木というのは、モーセにとっての光る藪と同じです。たしかに、わたしの本でも取りあげたように、ロベルタという八歳の女の子が庭の樹木の中に光輝くマリアを見たというような実例もあります。樹木の中は、暗がりということで洞窟と共通なのよ」

なるほど、それは気づかなかった。

踏みこんで、私は尋ねた。

「その暗がりから、マリアは**どのように**顕れてくるのですか」

「扉が開くように、です。ファティマのように、最初、白い雲のようなものが飛翔してくる場合もあります。その中の光球の、楕円形のようなところから扉が開くようにして出現してきます。すべてのヴィジョンがその点で共通しているのです。元型的、といっていいでしょう」

重要な指摘だ。「扉」の一語に鍵がありそうだ。

この言葉を機会に、今度こそ椅子から立ちあがろうとすると、またも引き留められた。

「まだ、一つ残っているでしょ」と笑いながら云う。「ほら、血液検査よ」

あゝそうだった。

半ば冗談と受けとっていたが。

そう思ったときには、早くも彼女は席を立って、電話室のほうへと歩いていく。慌てて私もそのあとに従った。


二つの大学でチヴィタヴェッキアのマリア像の血液を調べていると聞かされていた。そろそろその結果が出るころだと。

電話口に立ってダイアルを回しながらアンナ＝マリアは私に向かってこういう。

「ローマ大学のジアンヴァルボ＝ウマニ・ロンギ教授にあなたを紹介するから、直接聞いてみるといいわ」

ふたことみこと交わしただけで彼女はすぐに受話器を手渡してよこした。

「アロー」というと、向こうも「アロー」と答える。フランス語で通じるらしい。

「チヴィタヴェッキアのマリア像が流した血液をお調べだと伺いましたが、結果はいかがだったでしょうか」

ためらったような、警戒したような低い声で相手は答えた。

「血液型は、O型でした……」

続いて、感情を押し殺したような声で云った。

「たしかに、人間の血です。しかし……」

何秒間か、沈黙があった。

云おうか云うまいかと迷っている気配で、

「提供された血液量がごく微量だったので、それほど精密に調べることはできませんでしたが……、DNAは、男性のタイプだったのです……」

まさか！


二人は、しばらく無言のまま、巡礼の休憩所をあとにした。トレ・フォンタネの丘を降っていく。二時間もそこで話しこんでいたのだった。

足は自然とラウレンティナ古道のほうに向かう。曲がりくねった地形のまま伸びる道が見えてきた。日没にプラタナスの並木がそこに長々と続く影をつくっている。その中に入ったとき、アンナ＝マリアが初めて口を開いた。

「日本のアキタのマリア像の涙も、やはりO型でしたね」

さすがに鋭い。

秋田の湯沢台の聖母像のことは、安田貞治神父の名著で知っていた。筑波から私は神父に手紙を出し、返事を戴いてもいた。秋田大学での綿密な血液鑑定のことも同書で読んでいた。だが、「O型」だということはすっかり忘れていた。しかし、DNAが「男性型」だということは、どう説明がつくのだろう。

当然、ロンギ教授は、像にさわった人間の体液ではとの疑いを持ったことであろう。だが、検査の前提条件として、厳密に選別は行ったはずだ……

かえって、謎が増えた。


「ミステリーは、われわれの想像の限界をこえていますよ。次の時代への宿題ですね」

と返事するのが私には精一杯だった。

そしてこう付け加えた。

「目下のところ、僕には、なぜ秋田の辺地にマリアが顕れたのかということのほうに惹かれますね。マリア像の落涙を何度も見たというシスター笹川は、ルルドのベルナデットのような重度身障者でしたし、また、秋田は十六世紀に大勢の切支丹の殉教のあった土地でしたからね。マリアは境に応じて出てくる——僕はそれを地縁と呼んでいます」

「ここがそうね」

と、アンナ＝マリアは立ち止まった。

さも聖パウロの首塚でも探すかのように。

だが、ローマ市内に荘厳な聖パウロ・バジリカは立っているものの、ここには石碑一つ見つからなかった。

「ここでお別れね」

今夜は彼女は次なる探検のための会合があると聞いていた。

「こんどは何のアバンチュールですか」

「アララット山でノアの方舟が見つかったというの。その探検隊に加わって出かけてきます」

尽きざるミステリーの探索者……。どうも、自分などとスケールが違うようだ。新約から、旧約の世界へと、一飛びとは！

忍び寄る夕闇のなか、何の花か、強く匂ってきた。

第三章　ポンマンの星空
——皇后陛下美智子さまへの手紙

畏れ多くも、皇后陛下あてに、パリから以下の書状を寄せさせていただいたのは、一九九七年（平成九年）にポンマンに旅してから九年も経ってからのことだった。その四ヶ月前に、皇后さまの仏訳御撰歌集『セオト　せせらぎの歌』をパリで上梓させていただいた御縁で、皇居に賜茶にお招きを受け、深い御述懐を承ったことがきっかけであった。歌人美智子様の高雅なポエジーと、「ポンマンの星空」の出来事の透明性と、深層において響き合うものありと拝されたので――。これに対して、御清覧賜ったとのお言葉を洩れ承った。以下お許しを願って書状の抜粋を掲げさせていただく次第である。

皇后さま

長い念願かなって私が「聖母顕現」地への巡礼の旅に出たのは、平成九年四月のことでございました。

大学定年を待ってイタリア、フランスと四、五ヶ所を回りましたなかで、とりわけ忘れられない想い出を持ったのが、フランスのポンマンでした。あのときの感激は、出来事の不思議さとともに記憶から薄れたことがありません。

物語に秘められたミステール、記念に建てられた大聖堂の美しさ、「顕現」と「表象」

の切り離せない関係……。こうしたことがこの覚書の内容でございます。

パリにて、平成十八年八月十五日

出来事

ポンマン (Pontmain) は、フランスのブルターニュ州の小邑です。そのすぐ東側はノルマンディー州に接し、北西へと進めば大西洋岸のモン・サン・ミシェルの景勝に至るといった地点に位置しております。しかし、よほどの好事家——私自身がそうでありますような——か巡礼でもないかぎり、列車も通らない、こんな僻地にまで車を迂回させる人は滅多にありますまい。他に見るものとて特にはありませんから。

たった一つ、そびえたつ大聖堂を除いては。

そしてこれが建ったのが、かの奇蹟からなのです。

時に一八七一年一月十七日のことでした。

すべて宗教的奇跡は、その起こる日付と場所が重要な意味を持っております。日付については、「一八七一年」というのは、フランス人ならば誰でも歴史教育において叩きこまれる「国恥」の年にほかなりません。その前年に起こったプロシア相手の戦争（普仏戦争）で惨憺たる敗北を喫し、その結果、ナポレオン三世の第三共和制が崩壊し、代わって、戦勝国ドイツは第二帝国を興すに至ったのですから。

このドイツ第二帝国のウィルヘルム一世の即位式が、あろうことか、敗れたフランスのヴェルサイユ宮殿において壮麗に挙行され、一方、フランス国民は、悲涙を振るって敵方に五十億フランの賠償金を支払い、なおかつアルザス・ロレーヌ地方を割譲しなければなりませんでした。しかも、フランスの元首、ナポレオン三世は、有名な「セダンの戦い」に敗れて捕虜となる屈辱の極みにあったのです。

「一八七一年一月十七日」というのは、歴史の明暗を分けたこのヴェルサイユ宮でのドイツ新帝国の成立宣言の、実に前夜に当たっていたということであります。

敗北を喫しようとも、フランス軍兵士は、たいへん勇敢に戦っていました。また、講和条約締結後も、後の第二次大戦下のレジスタンス運動を思わせるようなパリ市民の抵抗組織が立ちあげられたりもしました。が、如何せん、プロシアは、大戦術家モルトケ将軍の指揮のもと、圧倒的優勢を誇り、仏軍はこれに抗するすべもなく、壊滅に至ったのでした。

それより一週間前、プロシアの第十軍団は怒濤の勢いでフランス西部へと侵略してきました。ブルターニュ州へと入るや、軍楽隊の鼓笛に合わせてル・マン市を抜き、ついでラヴァル市へと迫っていました。(現在では、その町に、東西に横切る鉄道の駅があります)。もしラヴァル市が落ちれば、そこから北西の方向、五十キロメートル先に位置するポンマンへと一挙に雪崩こんでくるでしょう。だが、これを防ぐ一兵とても、もはや味方に残されてはいませんでした。

残されたのは、ただ無惨な傷病兵の大群で、彼らは、ル・マンで五千人、ラヴァルでは一万人というふうに、後代の地誌の言葉をかりれば「蝿のごとくばたばたと死んでいく」ばかりだったのです。敵の第十軍団司令官は、勝ち誇って、「我が軍、すでにラヴァル城門にあり」と、はやばやと勝利宣言を出したほどでした。

危急を告げる国中の聖母寺の鐘は鳴り、どこも黒山の人波が聖堂の前に跪いて、フランスを救いたまえと熱禱をささげる光景が見られました。

その日、ポンマンは、雪が降っていました。天変地妖と申しますが、この地方一帯は、ここ数日間、北極光が空を走り、地には、チフス、天然痘がはびこっていました。未明には、フランスでは珍しい地震さえ起こりました。わけてもポンマンは激震でした。ポンマンまで指呼の間にあるフージェールの町では、たまたま墓地を横切って逃走する仏軍兵士たちが、揺れのため、足を取られたほどでした。

ここの村人がどんなに怯えていたか、申すまでもありますまい。村の司祭ミシェル・ゲラン師は、その日も礼拝堂に善男善女を集め、修道女は学校で生徒たちに、ひときわ熱心に祈らせていました。

しかし、動揺する村人の心に、どこまで神さまを信ずる心があったことでしょうか。いや、のちに、その中の一人の女性が涙ながらに告白したように、聖母の顕現のさなかにも、お祈りなんて何になると考えていた人さえ混じっていたのでした。

*

ここに、バルブデットという農夫の家族がおりました。

夫婦には三人の男の子があり、下の二人は、十二歳のユージェーヌ、十歳のジョゼフと云いました。長男は二十五歳で、ずっと歳が飛び離れていましたが、それは母親が後妻として嫁いできたときの連れ子だからでした。ユージェーヌとジョゼフには、母屋に接した納屋が寝室に当てられ、そこは馬小屋をかねていました。

運命の「一月十七日」の夕方、二人の男の子は、秣(まぐさ)を馬に飼うため、それを臼でついたりしながら父親の手伝いをしていました。六時ごろ、近所の内儀(かみ)さんが、戦争はどうなるずらと父親と話しこみにやってきました。その間に、次男のユージェーヌは戸外に出ました。そのころしきりに夜空に現れるオーロラを見たいと思ったのです。

雪は止んでいました。

戸口を出ると、前の小さな広場の向こうに、ギドコック家の二階家が建っています。広場は村の教会のもので、その教会は、ギドコックさんの家から左手のほうに、ずんぐりした姿を見せています。広場も、家々の大きな斜面の屋根も、振り積もった雪で真っ白でした。

オーロラは……と、少年は、視線を挙げて、目を丸くしました。まんまえの家の屋根の上に、少し浮きあがって、目もさめるように美しい一人の女性が立っていたからです。

そのお方は、頭に冠をかぶり、両手を慈しみふかい形にわずかに広げて、ほほえんでいました。

一目見るなり、ユージェーヌは、うっとりしてしまいました。それほどに美しい姿だったのです。

冠といっても、けばけばしいものではなく、円錐台を逆さにしたような、つまり上のほうが平に広がった形のボンネットでした。それが金色に輝くなかに、中央に横にひとすじ、赤い線が入っています。この冠の下から、黒いヴェールが垂れ、ヴェールは、整った目鼻立ちの瓜実顔を挟んで、背中の中ほどまでふうわりと流れ、お召しになった濃いブルーのチュニック（寛衣）は、柱のように真っ直ぐに伸び、裾の下には、金色のリボンを結んだ履物が、ちらりと尖端をのぞかせています。

そして何よりも少年の心を奪ったのは、この世ならぬ神々しいお姿全体に、星が鏤められていることでした。金色の星々が、垂直の襞を垂らした外衣いっぱいに煌めいていたのです。ゆったりとした幅広い袂にも、黒いヴェールの隅々までも——。

父親と話しこんでいた近所のおばさんが納屋から出てきたので、ユージェーヌは昂奮して叫びました。が、わたしゃ何にも見えないよという返事です。

そこへ、叫び声を聞きつけて、父親と、弟のジョゼフが出てきました。

父親も、何も見えないと云います。

ところが、弟は、見えるというのです。

「ベル・ダーム」（美しい婦人）は、こんなふうな格好をして、こんなふうで……という言葉を聞くと、兄さんの云うこととぴったり同じではありませんか。

さあ、お父さんは困ってしまいました。

二人とも冗談は止めにして、仕事だ仕事だと、納屋へと急き立てました。それでも、どうしても男の子たちが表に出たがると、むりやりにそれを引き止めようとはしませんでした。

その様子を見て、お母さんのほうは、子供たちに、それではアヴェ・マリアのお祈りを唱えなさいと云いつけます。そして、二人が雪のなかに跪いて祈りはじめる様子を見ると、学校の先生を呼びに走っていきました。

シスター・ヴィタリーヌが駆けつけてきます。

でも、シスターにも何も見えません。

そこでシスターは、同じ道を駆けもどって、何の説明もせずに、三人の女子寄宿生を連れてきました。すると、その中の十一歳のフランソワーズ・リシェールが、真っ先に、こう叫びました。

「何かが、ギドコックさんのお家の上に見えるわ！」

そう云いながら走り出したフランソワーズのあとを追って、九歳の女の子、ジャンヌマリー・ルボッセも叫びます。

「まあ、ベル・ダーム！」

二人の少女が見える見えると云い立て、事こまかに説明するのを聞くと、先の二人の兄弟が云うのと、寸分も狂いがありません。

もっとも、一緒に駆けつけてきた三人目の少女、最年長——十二歳——の寄宿生のほうは、何も見えないと云い張りましたけれども。

騒ぎを聞きつけて、どんどん人が集まってきます。

シスター・ヴィタリーヌは、こんどはゲラン司祭に知らせに駆けていきました。

そのとき、別の男の子、六歳のユージェーヌ・フリトーが、お祖母さんのマントにしっかりと抱きかかえられて現れ、

「見える！」

と声を挙げました。

この子は病気でしたので、間もなくその場から離れましたが、代わって、女の赤ちゃんが、お母さんに抱かれて、その場で空を見上げるや、大喜びで、

「ゼス（イエス）さま！　ゼスさま！」

と、大はしゃぎでした。

のちに「ヴォワイヤン＝幻視者」と呼ばれることとなる六人の子供たちのなかで、一番小さな女の子、生後二歳のオーギュスチーヌちゃんでした。

小さな村の住人の三分の二――六十人ほどが集まっていました。シスター・ヴィタリーヌの指図で皆がお祈りを始めたところへ、司祭が駆けつけてきました。ちょうどそのとき、子供たちが叫びました。

「あ、何かが始まったぞ！」

「見える」ほうの子供たちが口々に云うのを聞くと、それはこうでした。濃いブルーの太い線が「お姫さま」の周囲に楕円形を描き、それは大きな光背のようになったのです。

のちに、「ポンマン聖母顕現の第一景」と呼ばれる光景です。

そのあと、この「光背」状のなかに、四本のローソクが現れたり、「ダーム」が赤い十字架を抱いたり、また、両手のポーズや表情をも変えたりして、全部で五つの光景が展開されることとなります。

そのように次々と変化する不思議な光景を、子供たちは揃って、はっきりと見て、回りの人々に事こまかに説明を続けるのでした。

途中、見ることのできない大人たちの間で、ふざけたり、罵ったりする声も起きまし

*

た。そのようなとき、すぐこれに反応して、「ダーム」の顔は悲しそうに変わり、楕円形の光背は見る見る小さくなるのです。こうした変化も、一つずつ、即座に子供たちによって知らされます。

ゲラン司祭は、感動し、畏み恐れて、

「マリアさまですぞ！」

と叫びました。

そして人々を跪かせ、ロザリオの祈りを唱えさせました。とたんに、神々しい姿は、光背とともに、ぐんと広がるのでした……

いつのまにか、満天の星でした。

この星空を背景に、同じく星々に満たされたガウンの姿が、宙に浮いて、輝いています。祈る人々の心を、その変化のたびに反映して、幻像は、大きくなったり小さくなったりを繰りかえしています。そして、みんなの心から疑いが消えて一つになったときだったのでしょう、ひときわ大きくなったかと思うと、輪郭の回りの星々は、さっとそれに場をゆずるかのように二組に分かれて、足もとに並び、一方、ガウンに鏤められた星々はますます数が増えて、ついにガウン全体が眩しい金色の光を発しはじめました。

そのときでした――ひときわ大きな三つの星が、楕円形の光背の上半分を囲んで、正三角形をつくるように位置したのは。

見上げる人々の間に動揺が起こりました。

「見える、見える！」

と口々に声が挙がりました。

そう、ほかの天空の星々を圧して煌々と輝く、この特大の三星だけは、すべての大人たちの目にもはっきりと見えたのです。

これら超新星なみの三星は、その夜の奇跡が終わるまで消えることがありませんでした。超自然と自然が、これほどまでに溶け合った光景は、稀だったでありましょう。

一面、雪の銀世界の地表――そこには点々と戦火が篝火のように燃えています――を覆って、紫磨金（しまごん）をまぶしたような星空が広がり、その右手の一角には三日月が照り、正面には、かつて誰も眼にしたことのない大きさの星が、正三角形を形づくって、煌々と輝いているのです。

のちに、ポンマンの奇跡をめぐって、その真偽を問う宗教裁判が延々と続いたときに、まさにこの「三星」をめぐって反論が呈されることとなるでしょう。「ほかの星々より大きな三星を認めれば、全太陽系がひっくりかえるだろう」というのです。

しかし、その日、その時刻にポンマンで何事かが起こりつつあったことは、疑いようのない事実でした。迫りくるプロシア軍の鬨の声を城外に聞きながら、生きた心地もない隣のラヴァルの町の人々は、北の方角のポンマンの空だけ皓々と明るいさまを見て、何がいったい起こっているのかと噂しあっていました。

しかし、本当の驚異は、これからだったのです。

＊

「ダーム」は「聖母マリアさま」だと、ゲラン司祭はますます確信を深めるばかりでした。そしてロザリオの祈りにつづいて、「聖母讃歌」や、さまざまの讃美歌を次々と熱心に村人に歌わせました。そのたびに、「聖母」――と今は呼びましょう――の姿と、それをつつむ楕円形の光背は大きくふくらみ、同時に、光背の上半分を囲む三つの巨星も、さらにぐんと広がるのでした。

いまや、子供たちの目にだけ、口々にその告げるとおりの光景が見えていることは疑いようもありません。大人たちの目には依然として何も見えません。が、「三星」だけは見えています。「呼吸をしてふくらむ胸のように」――尋問に答えた十歳のジョゼフの言葉をかりれば――巨大な正三角形は広がり、また縮まり、そのなかに、刻一刻、子供たちの告げるとおり聖母の喜び悲しむ姿があるのだと、誰もが信じられるようになっていったのです。

「あ、マリアさまが笑った」

と手を打っては子供たちも笑い、中には

「マリアさまの白い歯が見えた」

という子までいます。これも、のちに、聖母の歯を見たなど不謹慎もきわまりないと、宗門の偉い方々から叱責を受ける成行きとなるのですが。

ところで、こうして司祭の指導で歌われた讃美歌のなかに、「日本の二十六聖人を讃える歌」もあったことを、ぜひ付け加えておかなければなりません。

三少年を含む日本の「キリシタン」二十六人が長崎で殉教し、一八六二年――つまりポンマンの出来事の九年前に――ローマ法王ピウス十二世がその列聖式を行ったと伝えられるや、カトリックの世界に感動が走り、フランスでそのような讃美歌が作られて、津々浦々の教会で歌われている最中だったのです。

殊にこの「日本」と名の付いた讃美歌が歌われたときのマリアの反応はどうであった

か、それが分かれば素晴らしいのですが、残念ながら詳かでありません。しかし、その瞬間、さぞやその姿は一段と拡大し、ほほえみも広がったに違いないと確信いたします。

「日本の二十六聖人を讃える歌」——あるいは歌ではなく章句だったかもしれません——がどんなものだったか、このこともフランスで少々調べましたが、現在までのところ不分明のまま終わっております。

ところで、こうして歌声がひときわ高まりつつあるときでした。子供たちの目に、大きな「M」の字が現れて、楕円形のなかに収まって見えたのは。

すると、そのあとに、宙に浮かぶマリアの足もとに、一枚の白い横断幕が、するすると、繰り広げられていくではありませんか。

そこに、見えない手指で書かれるように、金色の文字が、ゆっくりと書かれていきます。子供たちは、リーダーでも読むように、声をそろえて最初の綴字を読みあげます。

「M（エム）、A（アー）、I（イー）、S（エス）……」

大人たちの間で、何だ何だと騒ぎが起こりました。

「M、A、I、Sだって？《MAIS》（メー）——《しかし》という意味ずら？だが、何が、《しかし》かね？」

みんな、息を呑んで、続きを待ちます。

しばらく子供たちも黙っています。その間に、シスター・ヴィタリーヌが割って入ってきて、子供たちをばらばらに分けました。司祭は、もういちど、みんなに、聖母讃歌を歌わせます。

そのとき、息せき切って一人の使いが走ってきました。

「敵は、ラヴァルに攻めこんだぞ！」

次は、いよいよポンマンでしょう。

しかし、一心不乱に聖母連禱を誦する村人に、もはや動揺はありません。

空中を視つめる子供たちが、またも声を挙げはじめました。

「P（ペー）、R（エール）、I（イー）、E（ウー）、R（エール）……」

どっと歓声が挙がりました。

「分かったぞ。《祈りなさい》（プリエー）と云ってるだ。じゃあ、さっきの《メー》は《しかし》の意味じゃなかっぺ。《さあ、祈りなさい》と聖母さまは仰ってるだ！」

「M（エム）、E（ウー）、S（エス）、E（ウー）……」

と子供たちは読みつづけていきます。

村人は興奮しました。

「《わたしの子供たち》……。そうだ、《さあ　祈りなさい、わたしの子供たち》と云ってるだ……」

「D（デー）、I（イー）、E（ウー）、U（ユー）……」

「《神は　じきに　願いを叶えるでしょう……》」

「M（エム）、O（オー）、N（エヌ）、F（エフ）……」

「《息子は感じています……》」

ここでメッセージは終わり、子供たちは、最後のピリオドが金色の太陽のように輝いて打たれるのを見ます。

司祭は、感動に声をふるわせながら、一同に話しかけました。

「いいかな、聖母さまはこう云っておられるのじゃ。

さあ　祈りなさい　わたしの子供たち、
神は　じきに　願いを叶えるでしょう。
息子は感じています。
MAIS PRIEZ MES ENFANTS,
DIEU VOUS EXAUCERA EN PEU DE TEMPS,
MON FILS SE LAISSE TOUCHER.

となーー。

《息子》イエスさまが感じてくださっている、と。

何と有難い仰せであろうか……」

このとき、

「見えた！」

と、一人の男の子が叫びました。

大工の息子、オーギュスト・アヴィスでした。

司祭は、一層の勇気を得て、さらに次々と新たな讃美歌を人々に歌わせ、歌声が高まるなか、子供たちの目に、メッセージの横断幕はするすると消えていきました。

すると、一本の赤い十字架が現れ、聖母ーーいまや聖母であることを疑う者はありませんでしたーーは、ちょっとお辞儀をするように、それを両手に押し頂きました。

赤い十字架の上側に、「イエス・キリスト」の文字が見えます。聖母の顔は悲しそうでした。

一つの星が楕円の光背のなかを飛んで、四つの蠟燭につぎつぎと点火してまわります。

村人の間から「星のアヴェ・マリア」の歌声が起こり、赤い十字架が消えます。

聖母は両手を下げ、白い十字架が二つ現れて、それぞれ聖母の両肩に乗ります。司祭は夕べの祈りを皆に唱えさせました。

その声が続くなかで、一枚の白布が聖母の足もとに現れて、しずしずと迫りあがり、世にも不思議なこれらの光景を子供たちの目から押し隠していきました。

これをもって、出来事は終わりました。時刻は夜の九時近くでした。約三時間が経っていたのです。

ラヴァル市は陥落を免れました。

のみならず、この出来事の起こった五日後には、プロシア軍はそこから撤退を始めました。そして更に六日後には休戦条約が普仏間に取り交わされるに至ったのです。

誰いうともなく、これはポンマンのマリアのおかげだという噂が広がり、大勢の入信者や霊癒などの現象が起こったため、「希望の聖母」いう言葉が生まれました。

そうです、希望は、ほかにももたらされました。ポンマンから出征した二十六人の兵士は、全員無事、戦場から帰還をとげたのでした。

カテドラル

さて、ここまでは、公に記録された出来事のストーリーです。手元にある幾つかの関係資料にほとんど共通して書かれている事柄で、世界的にも知る人ぞ知る有名な事件であり、あえて私が纏めなおす必要もなかったかもしれません。

では、なぜこのように纏めなおしたかと申しますと、これからお伝えしたいことの、それが前提であるからにほかなりません。本当にお伝えしたいことは、これから――これまた手短に――お書きすることの中にあります。右に述べたことは、ポンマンに赴くまえに、ごく部分的ながら、二、三の本で読んで知ってはおりました。しかし、まさに百聞は一見に如かず、でした。というよりも、本当に大事なことは、やはり行ってみて分かった、こう申しあげなければならないのです。

その本当に大事なことの第一として、美しさ、これを私は挙げたいと思います。

それは、事前事後に読んだ、どんな本にも出ていないことでした。出来事の不思議さ、素晴らしさは、種々の記録をつうじて語られてきた物語のなかに、十分に感知することができます。それだけでも、信仰なき身にも、非常なる感動と好奇心をそそって余りあるものでした。だからこそ、自分は、日本からわざわざ、あのような僻地にまで出かけていったのでした。

そして見たのです――譬えようのない美を。

それは、ラジウムのように、神秘の燃えつきたあとになお燐光を発する何かでした。穏やかな春日の午後、車でパリを出て、黄色い菜の花の一面に咲く田園を走り、マイエンヌ県に入ると、やがて道路の行く手左側のかなたに、二つの尖塔を突き立てた大聖堂（カテドラル）が見えてきました。

ポンマンに着いたのは、ちょうど、聖母顕現のあったと同じ時刻、夕刻六時ぐらいだったでしょうか。

いまではささやかな「顕現記念館」といった感じの名所になった、最初の二人の「幻視者」――当該事件の主要人物と見なされています――バルブデット兄弟の住んでいた納屋をまず訪ねて、その足で、大聖堂へと向かいました。

ちょうど西日を浴びた正面ファッサードの前、大きなロザスの高さにまで台座に乗って迫り上がった聖母像が、子供たちの目に映じたままの星のガウンを着て迎えてくれる下を通り、正面から身廊に入って、あっと息を呑みました。

ブルーの絨毯を敷きつめた、かなたの祭壇の向こう、真っ正面に、天まで届けとばかり、壮麗な三幅対の玻璃絵窓（はりえまど）が色鮮やかにそびえ、その中央のガラス面いっぱいに、濃いブルーの楕円に囲まれた「ベル・ダーム」の四ポーズが荘厳に表わされていたのです。

この一瞬に、私は信じました。

子供たちの見た幻像が真実であったことを。

いえ、真実が芸術になったことを――。

こみあげてくる熱いものを感じながら、磁石に吸われるように一歩々々、近づいていきました。

そして身廊の中心に立つや、まったく未知の美しさのただなかに自分があると知ったのです。

申しあげるまでもなく、カトリックの大聖堂は、ヨーロッパ文明の頂点にあります。いくつも聖堂めぐりをして、いままでにも私は讃美してまいりました。一般に大聖堂とは、福音書の伝えるイエスの生涯の壮麗な空間的再現であり、合唱の鳴り響く総合芸術です。しかし、そのシナリオとなったストーリーは、信仰者以外にとっては、二千年もの過去の出来事にすぎません。新約においては、「東方の三賢王の礼拝」から「復活」に至るまで、要するに、キリスト教神話の世界の――。ところが、いま、目の前に、高い穹窿をささえて宙空に展開された、これらの壮麗な形象が表わす世界は、そうではないのです。

なるほど、顕現したマリアは、歴史的人物としては、二千年もの過去に属する人物でありましょう。けれども、出来事としては、十九世紀末から二十世紀はじめにかけて、つまり、「近代」において起こった不思議にほかならず、しかも、マリアは、バルブデット兄弟ら子供たちの前に生き身として顕れているのです。

極彩色のオーロラが宙に広がったかのような玻璃絵窓のパノラマを振り仰ぎながら、恍惚として私はこのようなことを真っ先に思わずにいられませんでした。(先ほどから、玻璃絵窓と申しましたが、フランス語のヴェリエールでは馴染みがありませんし、また、ステンドグラスというよりも、古いこの日本語訳のほうが私にはずっと見事に感じられますので、勝手にそう呼ばせていただきます)

「ブルー」は、常に神秘の色です。しかし、これほどその神秘性を発揮した紺青の色も珍しいでしょう。それは、子供たちが見たと告げるままに、聖母の示した四つのポーズを囲む、あの楕円の輪郭として、何とも云いようのない深みと、静かさと、優しみをたたえて、背景の夜空を染めあげています。そう、聖母がそこから抜け出てきた、それは、ポンマンの星空なのです。

見上げる高い穹窿に向かって何本もの円柱が伸び、それらに枠取りされた縦長の玻璃絵窓を縦に二つに割って、上下に二つずつ、合わせて四つの画面として、四つのポーズは示されています。

左下が、顕現の第一景でしょう。バルブデット家の子供たちを前に、空中に、冠をかぶった「ベル・ダーム」が顕れて、宙に浮かんでいます。楕円はまだ描かれず、聖母の背景は一面のブルーです。

次に、画面は、その右横に移って、楕円が、やや薄いブルーをもって描かれ、人物の周囲に四つの蠟燭が位置します。ゲラン神父らしい人物と村人が、その下に集まっています。

三番目に画面はその上へと進み、ここで「ベル・ダーム」は赤い十字架を抱いています。

そして最後に、その左側へと目をやると、楕円の下に横断幕が現れたのが見えます。ここでも大人たちがかがんで子供たちの言葉に耳を傾ける光景が描きこまれています。最後のこのシーンで、「ベル・ダーム」は、白い小さな二つの十字架を両肩に乗せています。

そして、四つのシーンのどれにも、あの「三星」が輝いているのです。

いかなるアーチストの原画によるものでしょうか、刻々と変わるマリアの姿と、群衆の動きと、その呼応が見事に捉えられていて、首が痛くなるのも忘れてその細部に思わず見入りました。幻想映画のスチールを見るような、その動画的効果と彩色の見事さには、ほとほと魅惑されずにはいません。しかもこれは、映画でも、ファンタジーでもありません。

では、それは何だったのでしょう、子供たちが見たものは？

おのずと引きこまれていくこの問いに答えるかのように、視線は、第四景に小さく表わされた、あの横断幕のメッセージへと引きつけられていきます。横断幕はさらに、玻璃絵窓の下のバルコニーに超ワイドに拡大され、金色に輝く帯となって、メッセージの言葉をさししめしているのです。

さあ　祈りなさい　わたしの子供たち
神は　じきに　願いを　叶えるでしょう
息子は感じています。

「わが子」という文字が綴られたときの、村人の反応が偲ばれます。「ベル・ダーム」が聖母であることが告げられ、さらに「わが子」ということでイエスの母であることを証したときの感動が。

このメッセージの帯の下に、高さは上部のそれの三分の一ほどながら、別の三幅対のパノラマが広がり、その真ん中に、聖母の胸に抱かれて現れた真紅のキリスト磔刑像が、雷鳴の轟くばかりのドラマチックな空を背景に、床から、どんと押し立てられています。しかし、子供たちに現れたマリアは、血の、悲劇の象徴である「赤い十字架」をもって終わりませんでした。平和の表れである「白い十字架」とともに最後の姿を示したのです。このことが、ほら、その左手に表わされているのでした。

気がつくと、私は、人気(ひとけ)ない聖歌隊席に立っていました。

いまや、ここの大聖堂の、知られざる設計者の構想は、手に取るように明らかです。彼はこう考えたことでしょう。

神話は、いま、誕生した。
それは、呼吸するマリアの胸のように、生きている何かである。
子供たちにしか見えなかった、その何かを、万人に見えるように建てなければならぬ。
「希望のノートルダム」と呼ばれる何かを……

ミステールなるものを人が信じようと信じまいと、ただ一つ、どうしてもそうあらねばならないことを、見事に大聖堂の建設者たちは摑んでいるのでした。

絶対に美しくなければならない、というそのことです。

*

ポンマン行きから九年が経ちました。

今宵、あのとき自分で撮った写真を見ながら、一つのことに気づいたところです。

巨大な三面鏡のように三面並んだ玻璃絵窓の、両側のデザインが何を表わしているか、ということに——。

いままで、そこまでは注意して見たことはなかったのですが。

拡大鏡を持ち出して、その細部まで見てみますと、真ん中の「ポンマン」を挟んで、左側は、アルプス山中の「ラ・サレット」、右側のは「ルルド」をそれぞれ表わしているることが分かりました。

ポンマン、ラ・サレット、ルルドの出現地が、三聖地として組み合わされているのです。

これにはびっくりさせられました。

なぜなら、二百あまりのマリア顕現地のなかで、ヴァチカンによって公認された霊場

は七つしかありません。顕現の奇瑞のあった年代順に記せば、

一八三〇年　パリのバック街（フランス）
一八四六年　ラ・サレット（フランス）
一八五八年　ルルド（フランス）
一八七一年　ポンマン（フランス）
一九一七年　ファティマ（ポルトガル）
一九三二年　ボーラン（ベルギー）
一九三三年　バニュー（ベルギー）

が、その七霊場で、その中の三つが選ばれているのでした。

私は、その中のどれを巡ってもよかったのですが、まずイタリアに赴いたあと、ポンマンに参りました。そのあと、ラ・サレットに行き、そこから最後はルルドという行程を立てていましたが、ある出来事のため、ルルド行きは先送りとなって帰国することとなりました。

問題の三幅対の中で左側の図柄がラ・サレットを表わしています。ラ・サレットは、

フランス側アルプス山中に所在し、そこで幼い二人の牧童を前にマリアは顕れて、迫りくる欧州の大飢饉などの災禍を告げました。その折の、うずくまって顔を覆う有名な「泣く聖母」の姿がここには表されております。

一方、三幅対の右翼の図柄は、一人の少女の前に現れたマリアがまとう純白のガウンのブルーの帯の色からして、これはルルドであると判断されます

ポンマンの夜空のブルーを真ん中に、左に荒涼たるラ・サレットの原野を思わせる茶色を、右に眩しいばかりの洞窟の聖母の白衣の白を配した色彩分割の巧みさには、ほとほと感心させられずにはいません。

バルブデット家の納屋——記念館——で、いみじくも奇蹟についてこう語った或る講師の言葉がよみがえってきます。

「ポンマンのマリア顕現の特徴は、飛び抜けて美しさということです。そしてその美しさは、コスミック（宇宙的）ということなのでした……」

ポンマンを訪ねた日、「希望の宿」（Auberge de l'Espérance）という巡礼宿で私は一夜を過ごしました。翌日、ふたたびバルブデット家の納屋を尋ねると、そこの正面の壁いっぱいに描かれた星空のマリア像を背景に、胸に十字のバッジを付けた白髪の講師は誇らかにそう述べたのでした。

「あんなに沢山の星を見たことはなかった」と、奇跡に立ち会った村人たちは語り伝えたということです。

誰もが「ベツレヘムの夜」を思ったのではないでしょうか。聖母を見ない人々も信じた……。星々がそれを信じさせたのです。わけても「三星」の不思議とともに、このことは、出来事の本質を語る確かな証のように思われます。

*

ところで、ポンマンの地元で入手した或る研究書[*]によると、いつのころか、ポンマンの城主で、たいそう聖母崇敬の篤い方があったそうです。この城主の鋳造させた或るメダルの写真が同書に載っていますが、それを見て私は衝撃を受けました。メダルは、聖母の出現より三十五年前に城趾で発見されたものであるというのに、さながら顕現を記念してあとから鋳造させたかのごときデザインであったからです。

*ルネ・ローランタン他著『ポンマン真実の物語』全三巻（R. Laurentin/A. Durand *PONTMAIN His toire Authentique*, Apostolat des Éditions,1978)

ここに、そのコピーを掲げます。

ご覧のとおり、メダルの円形の縁に内接して正三角形が刻まれ、正三角形の各辺に一個ずつ星が、合わせて「三星」がデザイン化されているではありませんか。

正三角形の内側に、マリアの「M」があり、円と正三角形の間に《PONT-MAIN》（ポンマン）と記されています。

あらかじめこれほどの「思い」があった土地ならば、後年の顕現も偶然ではあるまいと、考えこんでしまいました……


先に、ここでの聖母顕現は、普仏戦争という亡国の危機にさいして起こった出来事であるという由来を申し述べました。

そのような時間的因縁を、私はひそかに「時縁」と呼びならわしております。また、ある土地だからこそ、かくかくの出来事が起こったという空間的因縁に対しては、「地縁」と、これまた勝手に名づけております。

ある日、ある場なればこそ、何事かが起こる、ということです。

その大元は、一般に人が想像する以上に遙かに遠いところにあるようです。

いま、このメダルと、両手をわずかに広げたポンマンの聖母の基本的ポーズ――とというよりも殆ど全ての聖母顕現に共通の慈悲の姿――とを見比べてみますと、顔と両手を結ぶなだらかな曲線がメダルの正三角形と共通であるのに驚かされます。

ポンマンの村人すべてが見た特大の「三星」は、このメダルの正三角形の図像を介して、もっとはるかに遠い起源から来たというふうに考えられます。

聖母顕現の現象を追いながら、《どこからそれは来たのか？》という疑問に私は駆られるとともに、遠い起源の図像とそれが結びついていることに驚嘆させられてきました。

聖母だけではなく、東洋のマリアともいうべき観音菩薩の奇瑞についても同様です。日本の寺社縁起を調べると、いくらでも顕現現象とその図像的表象との相関関係の類例が出てきます。

そもそも、顕れたから描かれたのでしょうか、それとも描かれたから顕れたのでしょうか？

「顕現」と「表象」――聖芸術の起源をめぐる、これは最も基本的な問いに相違ありますまい。

＊

さて、この問題が真剣に投じられたのが、私にとってはポンマンが初めでした。

どこの顕現地でも、顕現現象が起こるたびに聖職者は、幻視者から、「それがどんな風であったか」を聴き取り、まるで警察が目撃者の報告から犯人のモンタージュ写真を作るように、芸術家の協力を得て、聖母の似姿を絵や彫刻に仕立ててきました。古来、ずっとそんなふうであったわけで、実にそのことが「聖芸術」の起源に通じていたであろうと想像されます。

ポンマンでは、先にお話し申しあげたブルーの美しい玻璃絵窓に顕現の模様は表されましたが、絵だけではなく、彫像もまた作られました。そのような幾体かの彫像が飾られているのを、私は興味深く大聖堂内で見てまわりました。

ちょうど、夕べのミサが始まったところでした。

かの三幅対の素晴らしい玻璃絵窓を背景に、四人の神父が祭壇前に並んでいます。赤い十字架――これもまた子供たちが見たままに――を胸につけた、一番右手の神父は、祭司長でしょうか。

神父たちの手前左手に一人の年配の女性が立って、讃美歌をリードし、これに応えて会衆が合唱しはじめました。高い穹窿へとコーラスが立ち昇り、天上からそれが降るように響きわたるのを聴きながら、私は、祭壇右手の空間を巡り歩いていました。

そこに、「幻視者たちに検証された四彫像」は安置されていたのです。

同じ「顕現」の主題で、どうしてこうも違うのでしょうか。ある像は悲しげに睫毛を伏せています。ある像は優雅で、可愛らしい微笑を浮かべ、またある像は、どう見ても、観音さまにそっくりでした。共通なのは、どれも赤い十字架を抱いていること、そして筒型のガウンに一面に星が鏤められていることです。

さあ、このなかのどれが「本物」か……

一つずつ見せられた子供たちに少しも迷いはなかったことを、私は興味深く思い出します。

微笑を浮かべた可愛らしい像を見せられたときなどは、「踊り子」と名づけて、笑いだしたそうです。

しかし、「踊り子」は、かえってその可愛らしさから大衆的人気を博したのでしょう、これだけ特別に広々した、しゃれた一区画に祀られています。華奢な天蓋のもと、四本の蠟燭と花々に囲まれた高い台座の上に立って。しかもこの像だけは珍しく白衣姿で、冠の下の首をややかしげて、ほほえみながら。

その前を通りすぎ、別の区画に入り、あまりぱっとしない仕方で展示された、古拙な彫像の前に立ったとき、これだ、と直観しました。白壁を背に、何の衒い気もなく、ほかの美々しい人形のような彫像に比べれば、一見、一本の枯木のような姿にすぎませんが。

顔は、むしろ固い表情で——。

随所に顕現した聖母は、容貌といい衣装といい、しばしば「東洋風」であったと記録されていますが、ポンマンもそのようです。

とすれば、これがいちばん近いのでしょう。一見平凡のようでいて、見ているうちに、厳かな表現に、次第に惹きつけられるものを感じさせられます。壮麗な玻璃絵窓のデザインと違って、この彫像は素朴です。ですが、却ってそこに云うに云われぬ迫真性を感じて、自然と足が動かなくなりました。

像の両脇を、翼を上に突き立てた金色の小天使たちに囲ませたのも、この聖母像を最も権威あるものとする教会側の意図なのかもしれません。

ここでは、いわゆる外形的「美しさ」は、もう無縁です。

おそらく「真」に最も近い何か、もし信者なら、この前でこそ跪きたくなるであろうような気高さを感じて、ただの保管室のような、人影のない一角に、しばし私は立ちつくしていました。

＊

マルローとピカソの会話が思いだされます。ルルドの少女、ベルナデットが、聖母顕現を見たあとで図像判定させられたときのエピソードです。

修道院入りしたベルナデットに人々はいろいろな聖母像を持ってきて見せるのですが、わたしが見たのはこんなのではありませんと、かぶりを振るばかりでした。困った修道院長は、ヴァチカンから、『聖母大鑑』といった数巻の図録を取り寄せて、一枚々々繰っていきました。しかし、ベルナデットは、ルネサンスの巨匠が描いた類の絵を次々と見ては、「ノン、ノン」と云いつづけます。そうして、最後に、ある画像を目にするや、たちまちひれ伏して、「わたしが見たマリアさまこれでございます」と云ったというのです。

それは、『カンブレの聖母』という十五世紀の聖画像(イコン)でした。

「イコンだから、何の動きも、遠近法も、リアルなものはありませんよ」

と、マルローは、ピカソに云います。

「サクレの表現、というだけです。しかも、僻地の、極貧の育ちであるベルナデットは、それまでイコンなど見たこともなかったんですからね」

こう聞いてピカソは、驚いて、こう応じたそうです。

2　　1

3

4.

顕現するマリアは、なぜか東方教会のイコンの姿をしている――
1.　ポンマンの「希望の聖母」像(175頁)。
2.　パリの「カンブレの聖母像」(176頁)。ルルドのベルナデットが、その幻視したマリアに酷似していると証言した。これまた、イコン。「いったいそれはどこから来たんだろう」とピカソ驚嘆(178頁)。
3.　顕現するマリアが常にとる「慈悲のポーズ」。
4.　ポンマンのマリア顕現に先立って城主が鋳造させたメダル。奇蹟の「三星」がつとにそこに刻まれ、顕現と表象の不可思議な関係を示唆している(170頁)。

「それなのに、その娘が、これこそ自分の見たマリアさまですと認めたというのが奇妙だね……。しかし、ビザンチン芸術の芸術家たちがそうしたイコンを創ったということのほうが、もっと驚異だ。こいつは一つ、考えなおさなくっちゃならない。面白い。実に面白い。いったい、それは、どこから来たんだろう？」

そうです、どこから来たのでしょうか。

聖母顕現地めぐりの間中、終始私に付きまとった問いは、これでした……

パリにて、平成十八年八月十五日

第四章　ミラージュ戦闘機とダライ・ラマ

マリア顕現地めぐりは、三分の二の行程を終えたところだった。イタリアでチヴィタヴェッキア、アッシジ、ローマと回ったあと、フランスはブルターニュ州のポンマンを訪ねてきた。パリに戻って、一日置いただけで、最後に、アルプス山中のラ・サレットからピレネーへと長駆するコースに臨もうとしていた。

そのたった一日の空いた日に、ノルマンディーでダライ・ラマ法王の講演があると聞いて、パリから駆けつけた。

カーン市は、低ノルマンディー地方の中心的港湾都市である。第二次大戦下、地上最大の作戦といわれたノルマンディー上陸作戦の激戦地だった。パリからは、サン・ラザール駅から列車で二時間たらずで行ける。

私にとってはカーン市は、まったく個人的な理由で大きな吉方に当たっていた。忘れがたい出逢いがあり、そこから飛躍の道が開けた。留学生活を初めたころ、文化大臣マルローの野心的構想による「文化の家」が同地に設立されたことがきっかけだった。開館記念日にマルローの記念講演が行われ、これを聞きに行った。「最大多数の芸術傑作を最大多数の人々に」を銘として、同館は、ピカソを含む一流芸術家のオリジナル作品を市民宅に巡回貸し出しする意欲的計画を実現しようとしていた。当日は、これに協力した芸術家が多数参集し、帰途の列車のコンパーティメントで、私はその中の何人かと一緒になった。みんな、互いに初対面だった。ところが、驚いたことに、彼らは、しばらく話し合っているうちに互いに自分たちがすべてユダヤ人であることに気づいたのだった。六人のユダヤ人画家と、たった一人の日本人という組み合わせで――。

彼らの一人、ルパートルという名の高齢のルーマニア系ユダヤ人画家と、特に私は親交をむすぶに至った。巨匠ブラックやミロも加わった豪華詩画集『パロル・パント』をルパートル夫妻は年に一冊ずつ編纂出版し、これに駆け出しの私を推薦してくれたのである。

カーン市には、その後、「文化の家」で私自身、講演を頼まれた折に再遊した。作家のカミュと親しいコメディー・フランセーズの俳優、ジャン・ネグロニが『雨月物語』を朗読し、私が上田秋成について語った。

そんなこんなで、この町には各別の良い想い出を私は抱いていた。しかし、それから三十年の月日が過ぎた。かつて青春の賦を奏でた町を、六十代半ばに再訪し、東洋の偉大な導師に接しようとしている。胸はなお高鳴った。

西洋は、はっきりと意思表示する文明だ。

場所もあろうに、ダライ・ラマの講演会場としてノルマンディーを選び、しかも、かの上陸作戦の激戦地カーン市、そのまた記念館に的を絞ったことは、只事ではない。なにしろ、主宰者の名からして、《ノルマンディー上陸作戦記念館・フランス仏教教会共催》と麗々しく打ち出されているのだ。

会場のロビーの正面いっぱいに張られた横断幕には

《歓迎一九八九年ノーベル平和賞受賞者
チベット聖上テンジン・ギャツオ・ダライ・ラマ法王》

と大書されていた。

その下をくぐって、一歩、場内に足を踏み入れるや、あっとばかりに目を見張った。なんと、フランス空軍の誇るスーパー戦闘機、ミラージュの実物が一機、ワイヤーで天井からぶらさがっている。その真下に、少年少女たちがびっしり坐っていたのだ。

十五歳から十八歳までのリセー生徒ばかり、併せて五百人という。椅子もない。みんな、じかに床に坐って、私語一つなく、整然と待ち受けている。

フランス、やるなと思った。日本ではまず考えられない演出だ。これには中国もいちゃもんのつけようがあるまい。かつてヒトラー相手に連合軍が死闘を演じた戦跡で、いま現在、自由世界擁護の扶翼として活躍中の最強戦闘機の真下に、未成年たちを前に、亡命法主を立たしめる。何たる気概であろう。

この背景には重要な歴史的真実が隠されていると思った。戦後、中共は、「ファッシスト」相手に連合軍と共闘したと吹聴し、日本を抑えこんできたつもりであろうが、かつて日本軍と戦ったのは蔣介石の国民軍であって、毛沢東の紅軍ではない。日本は、ただ、東京裁判の結着に基づいてこれに抗議しえないまでである。

戦勝国フランスには、このタブーはない。毛沢東は英雄視されているが——「五月革命」ではマオイストが暗躍した——そのことと、チベット、カンボジアは別問題とされている。カンボジアの「キリング・フィールド」は日本には伝わらなかった。チベットの悲劇も同様である。いっぽう、フランスでは、チベット抹殺の元凶中国を許すまじとの悲憤は消えることがない。のちの北京オリンピックのさいに、聖火リレーを通すまじとしてエッフェル塔からシャンゼリゼーのあたりに繰りだした群衆たるや、凄まじいものだった。

エスプリと抵抗の国フランスの若者は、戦後日本の若者と比べたら、意識の持ちかたがずっと鋭い。いまではなくなったが、兵役もあった。私は、バングラデシュ救援の国際ボランティア活動に従事したことがあるが、現地で、この世の地獄といわれた難民のビハリ・キャンプで出逢ったフランスの一青年のことを忘れたことがない。兵役逃れの代わりにそのようなボランティアをやらされるそうだが、泥沼に立つその若者の姿は神々しくさえ見えた。

いま、そのような多感な年頃の未成年たちが、非暴力主義を唱えるアジアの亡命法主と、ミラージュの下で対面しようとしている。どんな成りゆきとなるだろうか。

息詰まるばかりの待機の空間の後方に、佇む大人たちの群れに紛れて私は固唾を呑んで見守った。


前方右手の演壇で、記念館の館長がまず挨拶した。

続いて左手から、ダライ・ラマその人が登場する。遠目ながら、これが初めて私がこの人物を目にした瞬間だった。

緋色の衣に黄丹の飾帯という威厳ある姿で、その人は立った。一九三五年生まれだから、私より三歳年下で、時に六十一，二歳であったろうか。坊さんというときにわれわれがふつう想像するような、色白の華奢なタイプとはおよそかけはなれた、逞しい褐色の肌と筋肉質の、さすが風雪に耐えた男性的風貌である。この押し出しだけで白人種を魅了するのに十分であろう。同様の衣装をまとった脇侍を従えている。マチウ・リカールと名乗るフランス人の仏弟子で、この人が通訳した。法王は、合掌し、語りはじめた。

のっけから、痛棒を下した。

「われわれは、思想のエラーがどれほど人類の悲惨を引き起こすかということを認識しなければなりません」

法王は、ここフランスでこそ、このように打ち出す必要があると判断したのであろうか。世界に拡散した革命ウィルスの、そもそもこの国は輸出元なのだから。毛沢東の文化大革命が吹き荒れたとき、この国のメディアがこう書いたことを私は忘れたことがない――「革命の先輩国としてわれわれは苦笑して見守っている」と。

しかし、と法王は展開した。天井から下がっているジェット戦闘機を見上げて、こう云った。

「私は多くの国の戦士たちと会ったが、本性が悪人だったという者はいなかった。ある米軍のパイロットが、朝鮮戦争のときに北朝鮮の戦闘機を撃とうとしたが、相手の朝鮮人が余りにも疲れた惨めな様子だったので、引き金を引けなかったと述懐していた。私はまた、ワシントンのホロコースト博物館を訪ねて、人間には残酷と愛が共存していることを確認した。一つの状況の原因を見極めて、ネガティブをポジティブに転化していくことが重要であります……」

「といって」と声を張りあげた。「私は宗教家だが、すべての行為に宗教的に固執するわけではありません。愛他精神（アルトルイスム）を持つことが重要です。人類の目的は平和であり、その目的達成には、外的手段もあり、内的手段もあろう……」

ここで、ミラージュを指さして、

「時には外的手段も必要であろう」

と云ったあとで、すぐ言葉をこう継いだ。

「しかし、同時に、非軍事化を考えねばなりません。この場合、仏教徒として私の考えは、内的非武装は外的非武装にまさって重要であるということであります。二十世紀は戦争の時代だった。二十一世紀をして別の時代たらしめよ。未来は諸君ら若者の上にあり。よくよくこのところを熟慮して行動をとられよ――」


ざっとこういう趣旨の講演だった。

ほかに、万人幸福の秘訣といったことについて、こう述べた。いかに敵対心（アンタゴニスム）を愛他精神に変えるか、これが肝要である。それには、慈悲の心とともに、知が必要である、と。相手が若者だからといって手加減したしゃべりかたは、そこにはなかった。戦うなとも云わなかった。同時に非武装化を考えよと云ったまでである。

どういう反応が少年少女から呈されるか、思わず私は緊張して身を乗りだした。折しも館長がふたたび登壇して、質疑応答を告げた。

「はい」と、勢いよく栗色髪の少女が真っ先に手を上げた。「カーン市のマチルド・ジゾール、十七歳です。法王さまは内的非武装ということを云われました。どうやってそれを学ぶのですか」

「仏教では」とダライ・ラマは答えた。「精神集中によって学びます。その方法は、ヨガなど、インドでは仏教以前からいろいろとありましたが、釈迦がそれを統合したのです」

もっと幼い少年の声が上がった。

「シャルル・ゴーチエ、十四歳です。仏教はセクトだと聞いていましたが、どう違うのですか」

これは鋭い質問で、私は舌を巻いた。日本では絶対に出ないであろう。というのも、この国では厳格を極めた「セクト法」というのがあり、ある宗団が一度チェックされたら、二度目は文句なしに閉鎖と決まっているからである。日本のように、オーム真理教がアレフと名を変えて未だに大手を振って活動している図など、とうてい考えられない。

そこで、どう法王が応ずるかと見ていると、さすがに見事だった。こう答えたのである。

「仏教は強要しません。それがセクトとの大きな違いです。自ら精神を陶冶（とうや）する、これが仏教です」

別の少女の手が上がった。名乗らずにしゃべりはじめる。

「法王さまは、さっき、幸福について、それは愛他であると仰いました。しかし、自分が満足しなければ幸福はないのではありませんか」

「幸福の度合いによります。物質的、肉体的満足もありましょう。しかし、真の幸福とは、心のものであり、それも愛他によってもたらされるものなのです。しかし、私は、アメリカで、大きなお金持ちの家に泊めてもらったことがありますが、タンスの中はトランキライザーでいっぱいでした。ここの主人が幸福とは思えなかった……」

一斉に大きな拍手が起こった。

ほほう、若者とはこういうところに共感するんだなと、ちょっぴりびっくりさせられた。

ここで司会が割って入った。

「諸君、政治のことも聞いていいですよ」

たしかに、それまで宗教と道徳の問題しか出なかった。それにしても、こういうサジェスチョンも日本では出ることはあるまい。

ただちに何人かの手が上がった。が、すばやく、一人の大柄な少女が立ちあがった。これも名乗らずに、いきなり問いかける。

「法王さまは、ガンジーのような非暴力主義をお説きです。でも、チベットの蒙った運命を思えば、ヴァイオレンスも必要なのではありませんか」

誰もが思うところだ。それにしても思い切って訊いたものだ。

周囲の大人たちが息をひそめて聴き入る気配が感じられた。

「行為のみならず、動機によって問うべきなのです」

と、まず、ダライ・ラマは答えた。

「暴力によって民族の大いなる苦悩が救われるならば、それも無駄ではないでしょう。しかし、私は、ガンジーの非暴力主義の立場をとります。チベットは、そこから世界に訴えているのです」

こんどは、長髪の青年が立ちあがった。もう誰も名乗る者はいない。質問はいっそう過激になってきた。

「なぜ、法王さまは、中国の侵略に対して抗議なさらないのですか」

「チベットは、三回、外国から侵略を受けました。中国とは直接に対話したいと願っています。しかし、十八年間、残念ながらそれは叶わなかった。ガンジーは、耐えよと説きました。私はそれを支えとしています。そして我が民族は、この私を支えとしているのです。しかし、世界に変化が起こってきました。順風が吹きはじめたのです」

別の少年が続いて立った。

「僕は、ダライ・ラマを研究テーマとしている者です。そこで思うのですが、法王さまにはストラテジーというものがないんですか」

「それは私にもストラテジーはあります。しかし、私のストラテジーは普遍的法にもとづいているのです」

最後の質問者は十四，五歳の少女だった。勢いよく、

「ボン・ジュール、猊下」と挨拶する。「後継者はお決めにならないのですか」

ダライ・ラマは、すかさず、

「ボン・ジュール、マドモワゼル」

と返し、会場は笑いにつつまれた。法王は
「ご心配をいただいて、どうも」

と続け、笑いはさらに広がった。

「チベット人民自身が後継者を望むかどうかにかかっていることです。私の生まれ替わりがいるかどうか、世界中を探すこととなりますが、なにしろ、まだ私は生きている身なので……」

爆笑と拍手が起こり、そこで講演会は閉幕となった。

＊

熱い頭をかかえて私はパリに戻った。

高僧と若者たちの間のストレートなやりとりは、小気味よい水脈(みお)を胸のうちに曳いていた。それはまた、東洋と西洋、瞑想とアクションの間の千古変わらぬ対話でもあった。

私には、「暴力も必要なのでは？」と質問した少女の心中が痛いように分かった。暴力とは、もちろん、この場合、兵力、軍事力の意味である。その象徴たるミラージュ戦闘機の下で、そもそもこの集会は開かれているのだ。しかし、ダライ・ラマの応答は、非暴力主義の主張に終始した。

そこには東西両洋の世界観の根本的差異も表れているように思われた。仏教を中心に、東洋は善悪を相対化して見る。「悪」を絶対化することはない。云ってみれば、性善説である。このことはダライ・ラマの言葉の端々に表れていた。しかし、絶対悪がなければ、いったい何を相手に人間は戦うのか。

これは、顕現するマリアが、サタンを相手に「戦え」と説く西洋の正反対であった。悪との永久闘争――それが西洋なのだ。

そういえば、きょう、一つ抜け落ちていた視点があったと、私は思いだしていた。中国は、アジアではない、ということである。いや、抜け落ちていたのではない。講演の冒頭に、法王はそれを指摘していた。「思想のエラー」という表現をもって。「われわれは、思想のエラーがどれほど人類の悲惨を引き起こすかということを認識しなければなりません」ということから講演は始まっていた。

たしかに、マルクス主義が全アジアをも塗り替えた。

その警告として十九世紀半ばにアルプス山中のラ・サレットで二人の牧童にメッセージを託したことから、近現代のマリア顕現は始まったのだ。

明日は、早朝、その跡を訪ねて出発する。

マリア巡礼の最終コースをまえに、奇しくも東洋の偉大な導師から聞いた垂訓であった。

第五章　ラ・サレットの秘密

「ベル・ダーム」の涙

こんな風景は見たことがないと、目を見張った。

高い十字架の立つ丘上にタクシーから降り立つと、かなたに雪をいただくアルプスの峻峰を背景に、大聖堂がそそり立っている。そこに向かって、世界中から参集する巡礼団を迎えるためであろう、このような高原には不似合いなほど真っ白に舗装された道路が、長蛇のごとくうねうねと曲がりくねって緑のスロープを下っていく。しかし、それだけなら、変わった風景というほどのことはない。こんにち、どこの観光地でも見られる「修景」であろう。珍しいのは、そうした緑と白のだんだら模様の広がりの中程に、点々と黒光りのする彫像が散りばめられていることだった。

何も知らない人が見たら、野外彫刻展の一画とも見えたことかしれない。

そう云えないこともない。一歩々々下っていくと、途中から道の辺に小さな十字架が立ち並び、それに添って等身大のブロンズ彫刻が次々と現れた。

まず、一人の少女と、もっと小さな男の子の姿が。

その先に、宝冠をかぶった一人の女性像が両手で顔を覆い、しゃがみこんでいる。

さらに下っていくと、同じ二人の童子が、こんどは立ち姿のその女性と向き合っている。

まだ先があるらしい。

しかし、これらは、人間が構想した芸術作品ではない。女性像は、ちょうど百五十年前にこの地に天下った一人の天女の姿なのである。かつては荒涼たる原野にすぎなかったこの場所に顕れたマリアが、二人の幼い牧童を相手に人類へのメッセージを伝えた驚天動地の出来事の連続再現なのであった。

マリア自身、これを「秘密」と呼び、世に「ラ・サレットの秘密」として伝えられてきた。


わが酔狂は極まれり……

前夜、ノルマンディーからパリに戻るや、慌ただしくホテルで一睡して、早朝、パリ、リヨン駅から九時四十八分発のＴＧＶに飛び乗った。十二時五十四分、グルノーブル着。そこから一時間半、タクシーを飛ばして、ここ、ラ・サレットまでやってきた。

今回の案内役は、かの秘教学の大家、ジャン・フォール氏の推輓(すいばん)による、その側近女性、フランシーヌである。以前、ピサの斜塔のように傾きかけた氏の館で一度、同席したことがあった。

三つのコースに分けた我がマリア巡礼は、二つ目までは立派なレディたちの加護があった。ローマを振り出しのイタリア紀行では、「イタリアの観音さま」と渾名した、はんなりした美形の才媛、アンナ=マリア・トゥリ女史が同行してくれた。第二のコース、ブルターニュ州のポンマン行きは、パリ十六区の上流階級の日仏の二婦人が道連れだった。ところが、いつもそう柳の下にドジョウ……いや、女菩薩はいない。三度目は、性格もひねた、太っちょの、中年のおばさんだった。フランス語で、ぱっとしないをもうちょっと悪く云った「モッシュ」という形容詞があるが、そう云いたくなるほどの……

外見はともかく、性格までがメシャン（邪険）ときている。その徴候は、パリのリヨン駅で切符を買うときから早々に表れた。出札係がもたついていると、主任を電話で呼びつけ、「あんた、問題ありよ」と嚙みつく有様。二言目にはこの悪態が出てくる。列車に乗れば、私の読みはじめた本を横合いから覗きこんで、「そんなの、ウッソー」と叫ぶ。あんたのほうがよっぽど問題ありだよと、よほど喉まで出かかったが、なにしろこれから世話になることとて、ぐっと抑えた。

それでも、さすがはジャン・フォール翁の差し回しだけあって、精神世界の事情には通じている。こちらの意向を汲んで、手際よく旅程を立ててくれた。これからアルプス山中のラ・サレットを訪ね、その日のうちに南仏を横断してピレネー山脈の方向に向かう。ペルピニャンで一泊して、明日はルルドへという強行軍であった。

しかも、最後は彼女のおかげである甚大な発見へと至るのであるから、人生、何が幸いするか分からない。ぶつくさ云ってはバチが当たるであろう。

グルノーブルでTGVを降り、タクシーに乗った。

そこから、ラ・サレットまでは、けっこうな道のりである。途中、「ナポレオン街道」を横切った。エルバ島を脱出した皇帝がアルプスを越えてパリへと帰還した栄光のルートだ。「皇帝中継地跡」と立札にある。その先、イゼール県から上アルプス県へと入る。かなたに槍ヶ岳のような峻峰が見えてきた。

そして、目的地へ着くや、前述のごとく、大聖堂に向かって下るスロープの小径を、黒光りのする彫像の群れへと、一歩々々、降ってきたのだった。

それは、「一八四六年九月十九日」という奇蹟の日に、時間をさかのぼることを意味した。

それにしても、百五十年も前の、こんな僻地の、こんな奇妙な出来事が、なぜこんなにも自分を引きつけるのであろうか。

日本はまだ徳川幕府の時代だった。フランスは、大革命のあと、ナポレオン帝政を経て、王制と共和制の間を揺れ動いていた。ギロチン台上で勝ち誇った「進歩」の妖怪は、たっぷりそこで生き血を吸っただけでは飽きたらず、一八三〇年には七月革命、ラ・サレット顕現の翌々一八四八年には二月革命、一八七一年にはパリ・コミューンの乱と、貪欲に市民の大流血を貪りつづけた。その間、プロシア相手の対外戦争に破れ、世紀が改まるや、この国は二つの世界大戦へと巻きこまれていく……

フランス大革命後の十九世紀半ばという、この闇黒の舞台転換の歴史的モメントを捉えて、二十世紀へ、さらに未来へと、西洋と世界の運命を告げるという超自然現象の火柱が、ここに立ったのだった。

しかし、本当にそんなことがありうるのだろうか。

それがあったからこそ、人々は驚嘆し、大聖堂を建て、これらのブロンズに出来事を刻んだ。

その由来を偲んで、いま私は群像をじっくりと打ち眺めている。

野辺に立つ二人の牧童と、蹲って両手で顔を覆う宝冠の女性像は、〔第一局面〕とも称すべき光景を示している。その先の、こんどは立ち姿の女性が二人の童と向き合っている光景は、〔第二局面〕であろう。そこで、「秘密」と彼女自身が呼ぶところの苛烈な未来史が啓示された。見上げる少女と少年の表情が、あどけない。

最後の別れの場面はと探すと、スロープのずっと下方に、大聖堂に向かってそびえる大きなマリア像の後ろ姿が見えた。縋りつこうとする子供たちを振り払うかのように、目もくらむばかりの光球の中へと消えていったという［第三局面］の荘厳な再現だ。子供は子供を引きつける。ポンマンでもそうだったが、ここも子供たちの歓声が聞こえるのが楽しい。走りまわる子らに囲まれて、彫像はひっそりと鎮まっている。

雲一つない空は、かなたの白銀の嶺まで紺青を広げて。

それだけは、あの日と変わらずに。


十三歳の少女、メラニー・カルヴァと、十歳の少年、マクシマン・ジローは、共にラ・サレット村の極貧の家の生まれだった。富裕な農家の主人たちのもとで、それぞれ牧童として働いていた。二人とも、文字も読めず、言葉もその地方の方言しか話せなかった。運命の日の前日に初めて二人は引き合わされたばかりだった。

文明から隔絶された、そのような少女と少年が、突如、全人類の運命にかかわるような一大奇蹟に遭遇した事実については、以来、一世紀半にわたっておびただしい追跡調査が行われてきた。事件の翌日にメラニーが村の司祭に語った生々しい記録から、後年彼女自身が記した長文の手記に至るまで、直接の証言に基づいて。

「ラ・サレットの牧童、俗名メラニー・カルヴァ、イエスの献身者、十字架のマリア」

と署名された、この長文の手記の写本を、私は繰りかえし読み返してきた。いま、その一節々々が甦る。もし私が映画監督だったなら、二人の童が、それぞれ二頭の牛を追って山路を登るシーンから撮りはじめるであろう。メラニーは、耳まで垂れるボンネットをかぶり、杖を持っている。マクシマンは帽子を左手に、杖を右手に振り回している。少女の高原の九月は、もう涼しい。二人とも、裾の長い、古びたコートを着ている。少女のそれのほうがやや短い。互いに、お弁当を入れた袋を肩にかけて。

メラニーは孤独癖の少女で、それが自分の欠点だと感じていた。きのう知り合いになったばかりの男の子が疎ましく、最初のうちは邪険にしていた。が、一緒に歩いているうちに、従順な、好い性質の子だと気づく。二人はどんどんと山を登っていく。途中、ちょっとした谷間があって、そこの台地で四頭の牛に草を食ませることにした。そうしてメラニーは「パラダイス」遊びを始め、マクシマンがそれを手伝った。石を積んで、まず一階を作り、そこを空室にする。次に二階を作って、その屋根を花で飾る。二人は溢れんばかりの花々を積んできては、それを盛りあげ、「パラダイス」は完成した……。

このくだりを読んだとき、私は、映画「禁じられた遊び」をちょっとばかり思いだした。メラニーは素朴な信仰心を持った娘だったらしい。そのことは、前日、初めてマクシマンと会ったとき、昼御飯のパンを食べるまえにまじないめいた仕草を取ったことからもうかがえる。こうした頑是ない心が、ひょっとすると天意に叶ったのであろうか。あとで「パラダイス」の花園は意味を持ってくる。

ともかく、そこで二人はお弁当を食べ、眠くなったので、ころりと昼寝をした。なにしろ早朝から遠路を歩いてきたので。ところが目覚めると牛がいない。気づいたメラニーは男の子を起こし、自分は先立って探しに行った。小高いところに上って見渡すと、牛たちがのうのうと寝そべっているのが見えた。安心して降りてくると、反対に路を上ってくるマクシマンと出会った。そのときであった、異変が生じたのは。

「突然、わたしは美しい光を見ました。それは太陽より明るい光でした」

太陽より明るいとは、只ならぬことだ。だが、ファティマでもトレ・フォンタネでも、白昼、戸外でのマリア顕現は、例外なくそのような太陽光との比較表現から始まっている。メラニーは、「太陽の光も貧弱に思えるほどの」といった云いかたさえしているのである。

「マクシマン、あそこ、見える?」と云いながら、彼女は思わず杖を取り落としてしまう。すると、その光の内部に、さらに強烈な光があり、そこが開くようにして、動くものが見えた。と、それは、世にも美しい一人の女性——「ベル・ダーム」だった。その方は、両手で顔を覆い、腰を下ろしていた。二牧童が作った「パラダイス」の上に

——である。

その姿が、［第一局面］として、いま、目の前のブロンズに象られている。

「ベル・ダーム」は立ちあがり、少女と少年を見ると、胸のあたりに両手を組んで、こう云った。

「こちらへいらっしゃい、子供たち。怖がることはありません。わたしは、あなたたちに大きな知らせを伝えるためにここに来たのです」

こう聞いた瞬間の名状しがたい心の躍動を、メラニーは率直にこう綴っている。

「このような慈愛あふれる言葉は、たちまちわたしをそのお方のもとへと走らせました。永遠にそこから離れたくないと思いながら。ベル・ダームの右側に着くと、お話が始まりました。同時に、その美しい眼からは涙が流れはじめました……」

その「お話」——「ディスクール」——とは、実に驚くべき、長い、緻密な内容のものだった。和訳すればそれだけでちょっとした文庫本一冊くらいの分量にはなろう。

(私が知らないだけで、日本のカトリック教会内部では既に和訳は行われているのだろうか。こんにちではインターネットでも取りあげられているが、これは粗雑すぎて参考にならない。)

「お話」は、目前に迫った大飢饉の予言と、「秘密」と念を押して告げられたフランスの近未来から人類の遠未来にわたる凄惨な政治と戦争の予言だった。並びに、それを回避するための実践活動へのアドバイスと。標準フランス語のほとんど分からない二牧童に向けて、第二の「秘密」部分を除いては、その地方の方言で語られた。のちに、出来事を聞いて仰天した村の司祭が、方言のところは苦心して標準語に「翻訳」し、それを元にヴァチカンに報告するに至る。

大飢饉についてはこう語られた。

前年のジャガイモの不作についで、これから麦の凶作が始まる。七歳以下の子供は母親の腕に抱かれて死ぬであろう、と。

最初、メラニーは、ジャガイモを意味する「ポム・ド・テール」というフランス語の語彙を知らず、それは「ポム」（リンゴ）のことかしらと考えた。すると、すぐその内心を察知した「ベル・ダーム」は、言葉を変えて説明した。そのときには、その言葉はマクシマン少年には聞こえなかった。

同様に、「麦が駄目になる」と予告されたとき、その意味は少年には分からなかった。すると、こんどはそれを察知した「ベル・ダーム」は、以前、少年が父親と一緒にいたとき、ある人から「駄目になった麦」を見せられたことがあるでしょうと記憶を喚起し、あゝそうでしたと少年は思いだすのであった。このようなとき、こんどはメラニーの目に「ベル・ダームの脣が優雅に動く」のは見えても、その言葉は聞こえることがなかった。

ジャガイモの不作についで、麦の凶作という大飢饉は、実際にはどうであったか。試しに、いつも私が重宝している吉川弘文館発行の『標準世界史年表』[*]を開いて見ると、この予言のあった一八四六年のフランスの欄には「一八四六～一八四七年　全国的な農業及び諸産業の大不況、物価の騰貴」とあり、その前年、一八四五年の欄には「ヨーロッパの大部分にジャガイモの虫害甚だし」とあって、まさにぴったりであることに驚かされる。

*この種の簡便な年表の正確さ、緻密さについては、日本の右に出る国はあるまい。筆者は、かつてパリ在住中に、同書の三人の編者の一人、東大名誉教授、三上次男氏と会った折に、そう感懐を洩らすと、「あれは出版社が偉いのです」と云われたことを思いだす。ここに記して敬意を表したい。

この時点で、「ベル・ダーム」とはマリアにほかならないことが明らかとなっている。大飢饉の予告に先立って、「お話」の冒頭に、「もし我が民が従順ならざれば、われは、我が息子の腕を、もはや支えがたし」と宣言しているからである。

これは、先にも見たとおり、二十五年のちに、ポンマンの星空に顕れた「ベル・ダーム」が「我が息子は感じています」と宣べた表現法と共通している。

ラ・サレットでは、「我が息子……」と云ったあとで、このように愁訴が続く。

どれほど昔から、わたしは、そなたたちのために苦しんできたことか！　我が息子がそなたたちを見放さないために、わたしは絶え間なく祈っていなければならないのです。しかし、そなたたちは、少しもそれに気づこうとしない……

せめて人々が、一週間のうち、安息日として定められた日に祈るならまだしも、みんな、教会に行っても神を冒瀆するばかりと、マリアは嘆く。人々が「息子」の名を引き合いにするのも、凶作に遭って罵（ののし）るときぐらいのものである、と。

ついで、有名な泣きの場面となる。瀆聖に対して、である。

切々と訴えつつ「ベル・ダーム」が止めどもなく涙を流すさまをメラニーは見る。だがその涙は、不思議にも、しとど、膝へと流れ落ちながら、そこへ溜まらずに消えていくのであった。

そういえば、マリアの体は、「パラダイス」の花々の上にありながら、それに触れることはなかった。

ともあれ、二牧童は、「ベル・ダーム」が生きていると信じて疑わなかった。ポンマンの六人の子らがそう信じたように。

何物か、超自然が、「我が民」フランス国民の民とかかわりを持ちつづけ、それを救おうとしていた。そのために、続いて前古未曾有の大予言を、このあと、文盲の二児童に託そうとしていたのである。

俗に、マリア予言がノストラダムス予言とつながると云われるゆえんは、そこにあろう。しかし、実際は、つながるなどというものではなかったと私は考える。予言書『サンテュリー』の著者も、「聖霊」によって未来の正確なヴィジョンを啓示された幻視者の一人だった、と見るのが正しかろう。大飢饉の予告に続くマリアの大予言を知れば読者はそのことを納得されよう。

私自身、オルヴァル僧院の廃墟を訪ねたことに始まって、ずいぶんと長い手間暇をかけてマリア巡礼の旅を重ねてきた結果、最終的に、そのように言い切れる段階に到達しようとしていた。つぎにそのことを語りたい。

驚異の未来予言と警告

アルプス山中のラ・サレットに顕現した「ベル・ダーム」ことマリアは、その年、一八四六年から一年間、大飢饉がヨーロッパを襲うと予告したことに続いて、十九世紀以後の近代史の運命を、文字も読めない二人の牧童に予言しようとしていた。

その秘伝の光景を表した三体の彫像──前記の［第二景］──の前に立って私は、後に修道尼となった二牧童の一人、メラニー・カルヴァの手記を開いた。

興味深いのは、喫緊の大飢饉の予言がその地方の方言で語られたのに反し、続く未来世界史の予言は標準フランス語で語られたことである。牛飼いの手伝いにすぎない貧しい十三歳の少女メラニーは、読み書きもできず、標準語もしゃべれなかった。それなのに、マリアは、あえて、年代と固有名詞の出てくる未来の複雑な政治と戦争の諸事件については標準語で語り、メラニーもまた一言隻句も違えずにそれを記憶して、翌朝、村の司祭に伝えているのである。到底、人智をもってしては推し量りがたい不思議というほかはない。ローマのトレ・フォンタネ洞窟で共産主義者ブルノの身に起こった出来事もそうだった。そこでもマリアは洞窟内で三時間も長々と語り、それはブルノの耳にテープレコーダーのように何遍でも繰りかえされて、彼が得意の文筆をもって記述しおえるまで止むことはなかった。ラ・サレットでもマリアは、メラニーに、秘密の一部分について「一八五八年には公表してよろしい」と条件付きで非常な長文を口授しているのである。

超自然現象を前にするとき、人間には抵抗のすべがない。ましてや、「天の元后」とも呼ばれるマリアは、あえて僻地の一少女を選んで、最大の善知識といえども得ることのできないような人類未来の知識を授けた。いかに少女が懼れおののいて召命に応じたか、まことに想像をこえるものがあった。

言葉で聞いただけでなく、「ヴュー」をも見せられたとメラニーは告白している。それによって記憶を助けられた、と。

「ヴュー」とは、端的に「眺め」、「光景」を意味する。映画はおろか、原始的写真が漸く発明されたばかりの時代に、まるで映画でも観るように、メラニーは見たのである。見ること——これは、ジャンヌ・ダルクにも、ノストラダムスにも、すべて大幻視者に共通の基本であった。

現代人たるわれわれは「ヴィジョン」と呼ぶことに馴れている。「現実(うつつ)」の反対の「幻」がヴィジョンである。これに反して、「ヴュー」とは、現実に目の前に見る光景である。

燦々と陽光の降りそそぐ白昼の高原で、童らは、どのような「ヴュー」を見たのだろうか。

記録によれば、のっけから、何よりも年代の明確な指示が驚異的である。

マリアは、「秘密」を伝えると云いながら、「メラニーよ、これからそなたに云うことは、いつまでも秘密ではありません」と切り出すのだ。「一八五八年にそれを出版してよろしい」と。

「一八五八年」とは、この予言が行われた一八四六年から数えて十二年後のことだった。しかし、実際に彼女が出版したのは、ずっとのちの一八七九年のことで、そのときには十三歳の少女は四十八歳になっていた。

実際には、つとに一八五一年の時点でメラニーは、時のローマ法王ピウス九世と、マルセイユのある神父とに宛てて、二度に分けて予言を託するという慎重な手段を取っていたのだったが。

世に有名な「ラ・サレットの秘密」とは、法王に宛てられたその前半部分を示すものである。これは、顕現の起こった一八四六年から《三十五年間》の近未来についての予言であった。「秘密」の後半は、「すべての人々に」との指示に従って伝えられ、これは、ほぼ二十世紀以後の遠未来にかかわっていた。

驚いたことに、テキスト全文は、あたかも一冊の著書か憲章のように、いわば前置きから始まっている。当時、十九世紀半ばのヨーロッパが宗教界と俗界ともどもに陥っていた救いようなき堕落ぶりを、完膚無きまでにこう告発しているのだ。

物欲、愛欲、復讐欲に狂った世の破戒僧たちは、不純の固まりと化しました。もはや、世のために、穢れなき己が身を神に捧げんとする者はいません。神は、かつてない仕方でこれを打とうとしています。人民の指導者、首領たちは祈りと贖罪を忘れ、ために悪霊（デモン）によって知性を曇らされました。古き悪魔は、その尻尾の一振りで、いままさに彼らを破滅させようとしているのです。古き蛇は、すべての社会、すべての家族の長（おさ）たちを分裂させ、ここから人々は心身の痛苦の限りを味わい、天罰は三十五年間続くであろう。人間社会は、いままさに最も恐るべき天災人災の前夜に当たっているのです。

予言は、実際はこれよりはるかに激越な調子で、これが「慈悲の聖母」の言葉かと見まがうほどである。

まず、《天罰は三十五年間続く》とは、何の予告であったろう。

調べてみると、実際に、ラ・サレット顕現の一八四六年から数えて《三十五年後》の一八八一年までに、ヨーロッパ、殊にカトリックの世界は大苦難の時期に入ろうとしていたのであった。その間の、現実に起こった歴史的事実と突き合わせてみると、その的中は驚くばかりである。

まず、一八四八年に、二月革命が起こる。同年、マルクスの『共産党マニフェスト』が出版される。一八四九年にはフランス大統領ルイ・ナポレオン（のち、皇帝ナポレオン三世）の軍隊がイタリアに侵入して法王領を犯した。一八六四年には、第一回インターナショナルのロンドン設立。一八七一年に、フランスは普仏戦争の大敗とパリ・コミューンの乱を経て第三共和制の時代となる。

ラ・サレットの顕現のあった一八四六年以後《三十五年間の天罰》とは、従って、天眼から見るならば、「神を殺した」フランス大革命後の西洋文明が辿った霊性的下降線の運命にほかならない。フランス国内において、これほど神聖が冒瀆され、国が流血と屈辱にまみれた時代はなかった。涙を流してマリアが顕れる理由は大ありだったのである。

しかし――ここが大事なところだが――、二牧童へのメッセージは、ただ単に不幸の曲線を予示しただけではない。愛の鞭を振るって、《我が民》を再起せしめようとするものだった。真に驚くべきは、神託が、客観的な未来危機の予告に留まるものではなく、それへの積極的警告、アドバイスでさえあったという点なのである。これは次のように具体的に指示された。

時のローマ法王、「ピウス九世」の名を挙げ、「一八五九年以後」と年代を明確にさししめして、こう警告を発しているのだ。

「一八五九年以後、ピウス九世は、ローマを出ることなかれ」と。

これは、法王の拠点、ヴァチカン公国が、サルデーニャ王国によってその半分を占領されかかり、さらにナポレオン三世の仏軍の侵略を受けて、翌一八六〇年からは、保護のためと称してそのまま駐留を続行される危機が迫りつつあることへの警告にほかならないものであった。

「戦うマリア」としては、格別に「ピウス九世」に対して働きかける理由があった。

このときにかぎらず、「ペテロの後継者」たる歴代ローマ法王はすべて、当然のことながら、地上の平和のための最強の砦の主ともいうべき存在であったが、殊にも、歴代法王中、最長の在位を保ったイタリア系法王ピウス九世は、二つの偉業によって、顕現するマリアと最も深い関係に入った人物だったからである。その一つは、一八五四年に発令した聖母マリアの「無原罪の御宿り」宣言である。その四年後、マリアは、ルルドの少女ベルナデットに、この新たな名号を名乗って顕現するという、いわば離れ業を見せた。もう一つ、ピウス九世は、キリスト教世界の《統一（ユニテ）》を目標とするヴァチカン公会議の第一回主宰者その人なのであった。

このピウス九世に対してマリアは、「法王は毅然かつ寛大であれ」と叱咤しているのだ。「法と愛の武器をもて戦え。われ、法王と共にあらん」と。

断固たる加勢表明に、いかに法王は感奮したことであろう。

つぎに、「ナポレオン」と、これも名ざしで敵を明確化している。ただし、ここでは、ナポレオン一世の甥、シャルル=ルイ・ナポレオンの意味である。ラ・サレット顕現当時、彼はフランス大統領だった。しかし、一八五二年に帝位に就くや、大ナポレオン並みに対外戦争によって威光を発揮しようと目論んで果たせず、一八五九年にイタリア統一を画策するもカトリック陣営に阻止され、最後は普仏戦争に敗れてセダンで捕虜となった。かくして左翼陣営はより強化され、第二帝政から第三共和制への改変を招来するに至る。このような人物について、こう警告が発せられたのだ。

《法王は、ナポレオンを警戒するように。二心の持主だからである。彼は、同時に法王と皇帝たらんとして、程なく神から見放されるであろう。かの鷲のごとく舞いあがろうとし、諸民族を従えんとして掲げた剣の上に自ら落下するであろう》

「かの鷲」とは、鷲を紋所に定めたナポレオン一世その人にほかならない。

つぎに、これまた、はっきり年代を挙げて、こう予言する。

《一八六四年には、リュシフェールは、悪霊の大眷属とともに地獄から解き放たれるであろう》

一八六四年とは、「第一回インターナショナル」がロンドンで創立される年にほかならない。その創立宣言と規約は実にマルクス自身によって起草された。ここから各国にマルクス主義思想が拡散し、フランスではパリ・コミューンの勃発へと展開していく。「リュシフェール」とは、キリスト教世界では「サタン」、「悪魔」と同義である。しかし、元々はローマ時代に「光を持てる者」の意味であったことから、傲慢ゆえに神に反抗して失墜した天使との意味となった。美術では、しばしば、光輝く美少年の姿で表される。ここでは、《リュシフェール》＝マルクスと解して間違いあるまい。

――と云い切るわけは、このあと続いて、

「悪書は地上に氾濫し、闇の輩は、世界中、至るところで信仰心を損なうであろう」

と明言しているからである。

ここに《悪書》(les mauvais livres) とあるのも真に驚きで、マルクスの『共産主義マニフェスト』が出版されたのは、ラ・サレット予言から二年後、一八四八年のことにほかならないからだ。

「黙示録の乙女」マリアは、さすがに、新たな衣を纏って出現した旧敵サタンの本質をよく見極めていたというべきであろう。ずっと後世、二十世紀半ばに、ソ連によって世界の半分が赤化、従属化されるに至った惨状を見て、自由圏の知識人たちは漸く「マルクス主義とは要するに別の一個の宗教そのものだ」と目が覚めるに至るが、《悪書》の指摘に続いて、つとにマリアはこう明察を下していたのである。

「これら闇の眷属は、自然に対して極めて大きなパワーを持っている。彼奴(かやつ)らは、天の存在を否定し、別の教会を築き、真のイエス・キリストとは反対の別の福音書を説くであろう」

さらに、「これら悪人どもによって人々は一つの場所から他の場所へと攫(さら)われるであろう」と予告し、このことは、ソ連による「シベリア抑留」と北朝鮮による「拉致」を知った日本人にとって切実である。恐るべき未来の思想戦の様相について、ずばり、こう活写しているのだ。

「政治指導者たちの頭の中には、どこも、似た魂胆しかなくなるであろう。すべて宗教的原理を廃棄せしめて、唯物主義、無神論など、ありとあらゆる悪徳に取って代わらせようというような……」

「一八六五年には」と、具体的年代をさししめして、さらに続く。「あらゆる聖地で醜行が演じられよう」

その年、たしかにイタリアは、プロシアと同盟してオーストリアと戦い、敗北してヴェネツィアを併合され、聖地は踏みにじられる。そして、せっかくピウス九世が開始したヴァチカン公教会運動は中断されてしまう。その復活には、百年以上先、一九六二年の「ヴァチカンII」の回勅まで待たねばならなかった……

こんなにも大変な予言、メッセージを、あなたは天から託されたんだねと、私は、目の前の少女像を見やった。

三歳年下の男の子と並んで、讃歎の眼差しでメラニーは、丈高い聖母像を見上げている。聖母のかぶった宝冠の上に午後の陽は燦々と降りそそぎ、三体のブロンズの衣の線をとおって、巡礼の影もまばらな丘陵に透明な風景を浮き立たせている。

「秘密」とマリア自身名づけた予言の、このあたりまでの前半部分を、メラニーは法王に呈上した。右に見たごとく、そこで告げられる近未来の予言が、いかに喫緊性のものであるかは、誰の目にも一目瞭然であった。

そしてこのあと、「秘密」の後半となる。

そこでは、当時にとっては中未来だったわれわれの二十世紀から、その先の遠未来、さらには黙示録的な「終末」に至るまでの果てしない人類間の血みどろな闘争史が、延々と予言されているのだった。

メラニーにとって、いかばかりその「ヴュー」は戦慄的なものだったことか。全人類の未来史がアルプスの山々を背景にヴァーチャルに投影されたのだ。

そこで述べられた予言は、前半に比べれば、時間的にも空間的にもはるかに広大であった。先へ行くほど、だんだんと茫漠となり、もはや年代と固有名詞に言及はない。二十一世紀以後は容易には理解しがたい。しかし、原文は非常に雄弁である。ほんの一部分を抜き書きすれば、ざっとこんなふうである。

――「仏・伊・西・英の諸国を巻きこんでの国家間戦争が始まる」

これは、十九世紀にニーチェが予言した「二十世紀は国家間戦争の時代となるであろう」と物の見事に一致している。

――「ついで恐怖の全体戦争が起こるだろう」

二つの世界大戦であろう。

――「それから二十五年間の一時的平和が訪れよう。その間、新王たちは聖書の理解者の側であろう」

こころみに、第二次大戦終結の一九四五年から《二十五年》後というと、一九七〇年となり、これは中国を黒幕とするカンボジア王国崩壊の年に当たっている。第二次大戦後の《新王たち》とは、キリスト教を奉ずる「連合国」の指導者といえよう。

——「多数国家を統合する偽キリストの先駆者が、真の救世主たるキリストに刃向かって大流血をもたらし、己を神聖視せしめよう」

「偽キリストの先駆者」とはスターリンにほかなるまい。毛沢東がこれに続いた。

——「相継ぐ戦争の一つは、斉しく世界制覇の野望を持った偽キリストたる十王によって起こされよう」

「十王」とは誰か、詳細不明。

——「その前に偽りの世界平和がもたらされるが、人々は逸楽に耽り、悪行が横行するのみ。ただし、真の信仰の子らあり。われ、その子らとともに戦わん」

——「しかし、この間に悪魔が甦り、その兄弟を率いて、地獄を味方につけ、地上に勝利を収めよう」

——「幾星霜かが過ぎ、大地は実を結ばず、星々は運行を止め、地球は水火に覆われて痙攣し、恐るべき大地震が山々をも町々をも呑みこむであろう」

——「ローマは信仰を失い、偽キリストの根城と化すであろう……」

＊マリア予言はノストラダムス予言を継ぐということが一部識者の間に云われてきたが、たしかに、ここで最後に引用した二つの章句のごときは『サンテュリー』の表現法と酷似しているので驚かされる。ロシア革命（ソ連出現）が人類に及ぼす大被害について同書が語るときの、次のごとき表現――大げさと思われるほどの――がそれである。
《そして十月に何か回天の大事件が起こり、その凄まじさは、重力とともに地球もその自然の運行を失って、永遠の闇ふかくへと沈んでいくかと思われるほどのものとなりましょう……》（『サンテュリー』序文「王への書翰」、拙著『ノストラダムス・コード』六〇三頁参照）
ここで詳述の暇はないが、その意味するところは、深いと思われる。ノストラダムスの予言はラ・サレットの予言よりも二百八十九年も前のことだが、後者が前者を「受け継いだ」のではなく、両者とも同じマリア予言の一部だということである。ジャンヌ・ダルクも、ノストラダムスも、メラニー（ラ・サレット）も、ベルナデット（ルルド）も、ルチア（ファティマ）も、これら幻視者は、すべて「マリア」を中心とする天のいずこからか送られてくる同一の情報源を元に行動した――こう云って究極的に間違いはなさそうである。

最後は終末論的光景で、後代の人間にとって、いささかも楽観の余地を残さない。

そこに至るまでの人類史は、「偽キリスト」たる悪魔の軍勢との戦いの連続で、義人の側は圧倒されるが、「古い蛇」サタンとは原初から旧敵関係にある「黙示録の乙女」が味方について応戦するさまが描写されている。

「黙示録の乙女」マリアは、その根源の姿に立ち戻って、こう叫ぶ。

《われ、地上に緊急アピールを発す。……最後の時の使徒らを呼ぶ。……戦えや、光の

子らよ。少数なりとも。けだし、いまや、時の時、終わりの終わりなればなり》

結びの言葉は、こうだ。

《……かくて、水と火は、人間の傲りより生じたる万物を焼きつくし、一切は造り変えられよう。神は讃えらるべし》

学問的に見れば、これは、プラトン以来の世界更新思想の再現ということになろう。しかし、マリアは学者ではない。予言者でもない。ここで終わればそうなるかもしれないが、メッセージはここで終わらなかった。客観的に告げさえすればそれでよしとするものではなかった。警告し、戦いを決意させるためであった。

そのための用意周到ぶりには、ほとほと舌を巻かざるをえない。「秘密」――予言――の開示を終えるや、最後に、戦いの組織化の口授にかかるからである。

「それから」と牧童メラニーは想起している。「聖母さまは、同じく標準フランス語で、《新宗団規範》をわたしにお授けくださいました」

のちに、ピウス九世法王を動かして、「光の子ら」の世界的改革運動がここから広がっていった。

ところで、ここまではマリアは標準フランス語で語っていた。これだけの深遠な大予言を――実際は途方もなく長い――どうして田舎言葉で語りえようか。何らかの方法で全文を文盲の牧童に吹きこみ、あとで一語残らず正確に復元させるという念入りの方法をとっている。顕現と予言は、このときにかぎらず、確たる方法論に基づいている。

ともあれ、長い長い「お話」は終わった。

ここでマリアは、「子供たち、そなたたちはお祈りをしていますか」と尋ねる。「あゝ、マダム、あんまりしていません」とメラニーが答えると、何もかもお見透しの天女は、こう極めつけの一句を吐くのだった。

「日曜日でも、もはや何人かの女しかミサに行きませんね。ほかの人たちは、復活祭の断食のときでも、まるで犬のように肉屋に出かけていくのに」

これは痛烈な一打だった。

祈らないということは麦を腐らせるようなことですと、マリアは、ここで少年マクシマンにのみ向けて暗示する。そして二人に向けてこう云うのであった。

「さあ、子供たち、これから、このことを、我が民のすべてに伝えなさい」

別れの瞬間がくる。

その光景描写は美しい。こんなふうに伝えられている。

当時はここに小川が流れていた。マリアはそれを越えようとして、その手前で、振り返ることなく、「さあ、子供たち、すべての我が民にこのことを伝えなさい」と繰りかえした。

それから、最初、メラニーが牛を探しに登った小高い場所まで「歩いた」が、その足が草に触れることはなかった。

メラニーは、どこにマリアが行くのかと気がかりだった。というのは、彼女は強く「ベル・ダーム」に惹かれ、二度と離れたくないと心に念じていたからである。

マリアは地面から一メートルちょっとの高さに浮きあがった。天を仰ぎ、地上の左右を見回した。すると、その姿は、動いている光に徐々につつまれ、消えていった。メラニーの目には、聖母の体は光に変わって、そこに溶けこんでいくようにもみえた。光は丸い球体の形をとって、ゆっくりと、右の方角に上昇していった。

「ようやく空から目を離すと」と、メラニーは回顧している。「われに返って、わたしは周りを見回しました。マクシマンを見ると、彼もこちらを見ました。メマン（マクシマンの愛称）、きっとあれは、神さまずら。それとも、聖母さまか、えらい聖女さまに違いなかっぺ。するとマクシマンは、空に手を差し伸べて、こう云いました。もしそうだったなら（おいらも後を付いていったのに）、と――」

「カナヅチ」と「釘抜き」

その消えていったマリアの、最後の後ろ姿が、スロープを下った少し先に立っている。一段と大きなブロンズ像に仕立てられ、すぐその先にそびえる大聖堂と向き合って。鉄柵に囲まれた一画に、腕組みをした姿勢で、像は聳えている。厳かな立ち姿ながら、宝冠をかぶっていなかったら、マリアとは見極めがたかろう。この世ならぬ荘厳美は、メラニーの目に映ったヴィジョン――「ヴュー」――の中にしかない。成長した牧童は、ようやく身につけた標準フランス語を駆使して、いかなる幻想文学の筆致も及ばないほどの讃美のかぎりを尽くしてこう書いている。

ベル・ダームの纏った衣装にはダイヤモンドが煌めいていました。前垂れ（タブリエ）は金色で、白い色の肩掛けはあらゆる色の薔薇で縁取られ、そこから一本の金の鎖が通っていました。白い靴を履き、そこにも薔薇が溢れていましたが、靴がそれを踏むことはありませんでした……

描写がそれだけで終わっていたなら、世人はそれほど驚愕することはなかったかもしれない。顕現するマリアの姿がいかに荘厳を極めた美しさであるかは、幻視者たちが口を揃えて証言するところで、私も図録を見るたびに讃歎を新たにしてきた。ところが、これに続く一言で、まったく新たな驚愕を喫したのだ。

　もう一本の、もっと細い金の鎖が胸の上に垂れていて、そこから大きな十字架が下がっていました。

　十字架の両端には、カナヅチと釘抜きが付いていたのです。

　これらの言葉は、顕現の翌日、メラニーが村の司祭と村長に語ったとおりに司祭が書き留めた記録にもあり、まったく疑いようがない。司祭はただ、彼女が方言でしゃべったことを書き改めただけで、べつにマクシマンからも聞き取りを行って照合し、いささかも食い違いのないことを確認している。

「カナヅチ」と「釘抜き」！

ラ・サレットの奇蹟を伝える類書の中で、しかし、このことに注目したのは、私の知るかぎり、たったの一冊しかなかった。そこで、果たしてそれはどこにあるかと彫像を見回した。

等身大より大きなマリア像は、一本の古木を断ち割ったごとく、丈高く、荘厳に立っている。ゆるやかに、風に裳裾をなびかせた形に。両腕を胸より低く組んで。

一世紀半もの間、風雪に晒されて黒褐色に変じたブロンズ像の地金の上部を、首を伸ばして私は振り仰ぎ、視線を十字架にそそいだ。

さらに目を懲らした。

と、十字架の横木の両端に、それは見つかった！

横木の左端には、ピンセット状、右端には棒状の形体がくっついているのが。

「釘抜き」と「カナヅチ」、であろう。

知る人ぞ知る、「ラ・サレットの秘密」は、ここに極まるのだった。

かすかに空中に刻まれた二形象を、目が痛くなるほど凝視したまま、私は動けなくなってしまった。

その様子をじっと下方から眺めていた案内役のフランシーヌが、腕時計を指さしながら近寄ってきた。名残惜しいが、出発の時刻だ。後ろ髪を引かれる思いで丘陵から降りた。

＊

グルノーブルまでタクシーで戻り、そこから十七時四十九分発のＴＧＶ九〇五号列車に乗った。ヴァランスで乗り換える。十九時十七分発のＴＧＶ六一三五号でそこを出発、終着駅ペルピニャンに向かう。その間、五時間近くかけて全南フランスを横切っていく。ペルピニャンに着くときは日付が変わっているだろう。

ペルピニャンで一泊して、翌日、ルルドを訪ねる予定だった。だが、そこには永久に辿り着けないであろう。直前に思いがけない事件が起こり——又しても！——旅程がひっくりかえってしまったからだ。というよりも、残りの自分の人生計画そのものが。

そうとは知らず、南仏を走る列車内で、じっと思い返していた。あの謎めいた二つの形象を。

暗い窓外を、影絵のように田園が流れていく。一斉にさざなみのように揺れているのはラヴェンダーであろうか。昼間なら、馨しい紫野がそろそろ見られる季節だ。

風立ちぬ……

そういえば、どこか、ヴァレリーの「海浜の墓地」のかたわらを列車は過ぎていくはずだ。

家並みの間に、ちらと海が見えた。どんどんそれは広がっていく。半月が、中天に、銀波を照らしていた。

手提げから一冊の本を取り出して開いた。

ラ・サレット研究に一生をささげ、全九巻の『ラ・サレット辞典』を編んだ情熱的歴史家、アンリ・ディオンの『牧童メラニー神秘の生涯』である。どこかで、たしか、かの「徴」について触れていたなと思いながらページを繰ると、見つかった。巻末に、「エピログ　釘抜きとカナヅチ」と題して、付けたりとされている。

著者はそこで、憤懣をこめてこう書きはじめている。


予言者も、神学者も、詩人でさえも、ラ・サレットの「ベル・ダーム」の十字架上の、この「カナヅチ」と「釘抜き」について、これまでまともに、堂々と取りあげた人は皆無である。

学識経験や霊感が彼らに欠けているわけではない。目もくらむばかりの閃光に対して我らの瞳が濁り、百雷の轟きに対して耳が塞がれていたにすぎない。


二つの大工道具については、聖書ゆかりであると著者は指摘する。

「カナヅチ」とは、それをもって死刑執行人がイエスの肉体を十字架に打ちつけた道具であり、「釘抜き」のほうは、二人の弟子がそれを握った、と。「アリマタヤのヨセフ」と「ニコデモ」の名が挙げられている。

これら二人物について私は、パリを出るまえにあらかじめ調べてきていた。どちらも、たしかに新約聖書のヨハネ伝に出てくる。彼らは、磔刑の行われた夜、ゴルゴタの丘に来て、イエスの死骸を十字架から降ろし、香料とともに亜麻布につつんで葬った、とある。

もっとも、聖書には、「カナヅチ」とか「釘抜き」といった言葉が出てくるわけではない。そしてそこが、マリアの、デザイナー的に素晴らしいところかもしれない。顕現するたびに新しい衣装を纏うばかりではない。一つ一つ異なる象徴的トリビュートを発明するのだ。パリ、バック街の修道院では有名な「奇蹟のメダル」、ポンマンでは超自然的な巨大な「三星」というふうに。

しかし、思えば、磔刑の執行と、その終了を表すうえに、この二つの工具以上の象徴はあるまい。一つは、釘をもって打ちつけ、もう一つは、その釘を外す道具である。前者は死をもたらし、後者は、死からの解放、すなわち復活の準備をもたらす。

二牧童に顕れたマリアは、胸の十字架に、この二つの徴を付けていた。のみならず、三段に分かれた長い「お話」の三番目で、自らこれに言及してもいたのだ。前記のごとく、三段階のうち、最初の二段は予言であり、三段目は、そこに告げられた未来の惨事を人類が免れるための防衛手段の指示である。それには「神母教団」といったものを設立し、かくかくの綱領に基づいて贖罪と敬神の祈りを実行すべしと、メラニーに綿密な指示をあたえてさえいた。

その綱領の「第三十三条」――意味深い数字だ――には、まさしくこう明示されていたのだ。

《全教団員は、すべからく、われと同じ十字架を身につけるべし》――と。

アンリ・ディオンの本には、「釘抜き」についての具体的説明も付されている。これがなかなか面白い。

それによると、現代のわれわれが使っているようなタイプの工具が生まれたのは、十八世紀に小さな釘が作られるようになってからだという。それまでは、鍛冶屋が使う鉗子(かんし)の類が用いられていた。つかんで引き抜くピンセット状のもので、古代ローマの詩人、ヴィリギリウスやオヴィディウスが、つとに作中で触れているという。

メラニーが見た「釘抜き」のタイプは、この古典型だった。すなわち、マリアの時代――二千年前の――のもの、である。

同じ書物に、一本の現代アート風の大きな十字架の写真が載っている。ナポレオン街道の一画に立っているらしい。二つの工具が、磁石のようにそこにぴたっと張りついて。

横木の左端のほうの形体は、まさしく二叉の柄の、古いタイプの釘抜きのそれである。

牧女メラニーは、どれほどの熱誠をこめて聖母の「秘密」と教えを世に弘めようとしたことか。にもかかわらず、彼女は、ほかならぬキリスト教会の内部から疑惑視され、迫害されるに至った。そのことにアンリ・ディオンは憤激し、一生涯かけて彼女を擁護している。イエスの死後、その弟子たちが殉難の運命を辿ったことをも喚起し、ミスティックの運命はしばしばかくのごとし、と。

問題は、マリア自身が、このような象徴的オブジェをもって何を伝えようとしたのか、ということである。これに対して著者は、いみじくもこう説いている。

死刑執行人が使ったカナヅチも、ニコデモとアリマタヤのヨセフが使った釘抜きも、十字架上にそのままに残された。念入りに象られた紋章としてではなく、奇蹟的に、そこに宙吊りとなって。

誰でも手にとって、自由に使える道具として。

我らが罪障の、このカナヅチは、神とともに「秘密」に釘打つためのものであり、我らが傷ましき痛悔（contrition）の、この釘抜きは、沈黙の墓場よりこの「秘密」を引き抜くためのものにほかならぬ。

これぞ、御身のメッセージなり、おゝ、我らが聖母よ。

南仏を横断するTGVの車中でここまで読んだとき、私は、マリア顕現の持つ本質的意義がかつてなくよく分かったように思った。「我が息子」イエスを十字架に打ちつける行為と、そこから降架する行為、すなわち、死と復活の意義を理解することは、世界の秘密を解くことと同じであると、マリアは示そうとしたのではなかろうか。

世界は一つの秘密を蔵していると考えることと、偶発的な物質の寄り集まりにすぎないと考えることとは、まったくの相反する世界観である。

この相反性は、十九世紀半ばのヨーロッパで、かつてなく政治的に先鋭化した。マリアの「ラ・サレットの秘密」啓示と、マルクスの『共産党マニフェスト』の出版がほとんど同時――後者は二年後――だったことは、おそらくその表れであろう。

「泣くマリア」の姿が甦る。

両手で顔を覆って屈みこんだポーズのブロンズ像が、走る窓ごしに、夜の奥から眼（まな）

交(かい)に迫ってくる。

ラ・サレットから、ポンマン、ルルド、ファティマへと、マリア顕現は繰りかえされ、かたわら、彫像であろうと画像であろうと、マリア像が涙を、血涙をさえ流す奇象が世界中に広がっていった。超自然世界で何事かが起こったことは否定しようがない。敵を、レーダーのように明確に見定めて。

「黙示録の乙女」にとって、最も恐るべき敵は、サタンである。その権化、「偽キリスト」の武器として、マルクス・エンゲルス共著『共産党宣言』は「悪書」として名指しにされた。

この本を、私は二十歳代で読んだなと思いだした。大内・向坂共訳による岩波文庫一つ星だった。著者自身、「歴史的文書」と胸を張っている。それには違いなかろう。しかし、私自身は、説得されたかといえば、さっぱりだった。べつに自分の中にそれに対抗する政治思想があったわけではない。日本人として体質に合わなかったまでである。何もかも対立的にテーゼ化する世界観は無縁であった。労働は、搾取だけだろうか。当時傾倒していた出光佐三翁の定義のほうを、よほど立派と思った。「賃金は労働の対価ではない。生活の保障である」と。

人類文化の精神的伝統を全否定する御託(イデオロギー)に、冗談じゃないと反撥した。歴史々々と威張るな歴史、である。われわれにとっては、ヒストリーは物語であればいい。すべてを対立闘争的、進歩段階的にとらえているが、そんなものではない。

キリスト教思想について、マルクスは、古代においてはそれは他のあらゆる思想に打ち克ったものの、いまや啓蒙主義に破れさったと説く。私はキリスト教そのものに対しては格別の関心はなかったが、聖書、特に旧約聖書に対しては、中学生時代から読み物としてこれを愛読していたから、そんなものではあるまいと思った。自由、正義といった永遠の真理など、クソ喰らえとマルクスは痛罵する。そして「共産主義は、すべてこれを破棄する」と。

これが「マニフェスト」の核心と見た。

信念の吐露はいい。しかし、万象を相対化して、共産主義だけを絶対化するのは、虫がよすぎる。何のことはない、絶対神ヤーウェを崇めよと強制するようなもので、結局は西洋文明独特の唯一神信仰にすぎないではないか……

本郷元町の「あなぐら」で藻搔いていた駆け出しのころで、稚拙な反応であったかもしれないが、大筋は今に至るも変わっていない。ソ連の崩壊を見るに至って、やっぱりと思った。レーニンの銅像を、首に縄をつけて各地で引き倒す光景が、それこそ歴史の真実にほかならないものであった。

そして、きのうソ連、きょう中国である。

思えば、「ロジエー」の薔薇の夢が送られてきたのも、同じ我が「あなぐら」時代だったと思いながら、追懐を続けた。

マルローとアインシュタインの対話が思いだされる。

プリンストン研究所を訪ねた『人間の條件』の著者に向かって、相対性理論の天才はこう云った。

「最も驚嘆すべきは、この宇宙には明らかにある意味が存するということです」

これに対してマルローはこう応じている。

「その意味なるものが如何に人間にかかわるかを知ることが、重要なのでしょうね」

熊野路から伊勢路への旅で、マルローは、その「意味」が人間にかかわることを体得する運命にあった。五十鈴川のほとりで、エクスタシーの絶頂にあって、ほとばしりでた言葉は、「伊勢とアインシュタインは収斂する」だったのである。

あの日、あの時、あの啓示の瞬間の、世界中で私ひとりが目撃者となった、あの日本の古道が、こうしてマリア巡礼を続けている西洋の古道に通じていたのであろうか。那智の滝を「アマテラス」としてマルローは感知した。それは彼にとって世界の意味であった。アルプスの一少女に、マリアは「カナヅチ」と「釘抜き」を身につけて顕れた。それは、別の形での、世界の人間とのかかわりの意味であった。ただし、後者においては、顕現は問いであり、かつ永久闘争の宣言でもあるという点が、断固、異なるものであるけれども。


旅は終わろうとしていた。

時計は深夜零時を切った。

同時に、列車は速度をゆるめた。終着駅、ペルピニャンが近づいてきた。

これまで黙々とこちらの様子を視つめていたフランシーヌが——すっかりおとなしくなってしまっていた——、そのとき、ぽつりと云った。

「ここに、マリア顕現を見る女性がいるわ。写真もいっぱい撮っています」

「会ってみよう」

と私は答えた。

それが恐るべき発見に至ると、誰が想像しえたであろう。私自身の未来をも、過去生をも啓示される出逢いになると——。

第六章　ピレネーの女性幻視者

引き寄せられて

その女性幻視者の噂を耳にしたのは、TGVの列車内のことだった。

グルノーブルから南仏を五時間走りつづけて、もうまもなく終着駅ペルピニャンに着こうとするころ、旅の案内人、フランシーヌが、不意にこう云いだしたのだ。

「マリアを見る女がいるわ」

例によってぶっきらぼうな云い様で、あとさきがない。

ふんと、最初は私は聞き流していた。

マリアの顕現地めぐりの旅をずっと続けてきている。今日も、パリから上アルプスの山中、ラ・サレットにまで出向いて、その歴史的顕現の跡を訪ねてきたばかりだ。そこから、こんどは、こうしてピレネー山脈の麓にまで長駆して、明日はルルドに向かう途上にある。ヴォワイヤン（幻視者）づくめだ。いまさら事改めて、マリアを見る女って、どんな……

気のなさそうなこちらの様子に、口をとんがらかしてフランシーヌは畳みこんだ。

「彼女は、見るだけじゃなくて、写真も撮るのよ。だって、ママ・ローザと一緒に活動してきたんだから」

この一言に、ぐっと心が動いた。

ヨーロッパでは、聖母マリアの「アパリション」は、とうに抽象的神学論争の域をこえて、種々の科学的研究対象となっている。半年来、その確証をもとめて、私自身、単身、フランスとイタリアの間で「フィールド・ワーク」を続けてきた。現象は、世紀の、いや、永遠の奇蹟とも云いうるであろうと、ほぼ確信するに至った。もはや神学論の域ではない。各地で写真や動画にまで撮られる物証の時代に入った。写真証拠の二、三は、関連書の口絵などで見てきた。しかし、自ら撮影したという人に出遭ったことはない。

しかも、フランシーヌのいうその女性は、「ママ・ローザ」の協力者だという。イタリアのサン・ダミアノに、そのような愛称で呼ばれる図抜けた幻視者がいたことは、私も知っていた。現存であったなら会いに行っただろう。その人の話だけでも聞きたい。

そこで、「ぜひ、会わせてください」と頼んだ。

その瞬間、かちっと鍵が差しこまれ、見えない扉がわずかに開いたのだ。隠された小径が、新たな未知世界に向かって、するすると延びていこうとしていた。

各地に顕現するマリアは、人々の信仰によって聖堂に祀られ、それぞれ異なる尊称をもって呼ばれてきている。ラ・サレットでは「和解の聖母」、ポンマンでは「希望の聖母」、ファティマでは「神聖ロザリオの聖母」、メジュゴリエでは「平和の王妃」……といったように。

サン・ダミアノでは「奇蹟の薔薇の聖母」(Notre-Dame Miraculeuse des Roses)と呼ばれ、「薔薇」の名を冠して呼ばれたのは、その地だけである。

フランシーヌのいう「マリアを見る女」とは、してみると、サン・ダミアノ系の「薔薇」の秘蹟を授かった人であろう。そう思うと、好奇心はさらに動いた。

お願いしますとフランシーヌに答えた瞬間、列車は深夜のペルピニャン駅のプラットフォームに滑りこんだ。時に、一九九七年四月十九日から日付が変わって、二十日未明零時七分だった。

この時刻にここまで辿り着いた旅客は疎らだった。森閑たる駅舎に降り立つと、フランシーヌは用心ぶかく回りを見回しながら云った。

「ここはとても治安が悪いところだから、バッグはしっかり持っていなくちゃ駄目よ」

まさかと笑うと、とたんに噛みつかれた。

「冗談じゃないのよ。しっかり抱えていたって強奪されるんだから」

名前だけは立派な「ホテル・ド・フランス」という宿に泊まった。

フランシーヌは、以前、この街でずいぶんと精神世界活動をしたらしい。夜が明けたら関係施設を案内したいという。そのあと、くだんの幻視者の家を訪ね、その日のうちに、トゥールーズ経由でルルドへ向かうと、予定変更を説明してくれた。

「芝居は、幕が開いてみるまでは何が起こるか分からない……」むかし、フォンテーヌブローのナポレオン城で盛大な日本祭を総指揮したとき、フランス側の影の仕掛人からそう聞かされたことがあった。以後、人生で幾つかの大事(おおごと)を仕切るたびにこのジンクスを思いだしてきた。最後のところで、なぜか、筋書と異なるどんでんがえしが起こる。ブエノスアイレスの一夜がそうだった。若き日のパリ留学も。意志薄弱か運命か、本来の目的到達の一歩手前で「バイアスが掛かる」フィアスコ（大失敗）を喫した。

マリア巡礼もそうだったのだろうか。ルルド行きを取りやめることになろうとは……ただ、それほどまでに深刻だったのだ、このあと得ることとなる託宣は。かつて、そうではあるまいかとひそかに疑っていた、我が前世、また、どうなるかという我が未来、要するに自我をこえた自分の存在そのものを啓示されようとしていたのである。

託宣

ペルピニャン市は東ピレネー県の県庁所在地である。東は地中海に臨み、すぐ先はスペイン国境に接している。バルセロナにつぐカタロニア地方の都市として知られる。

観光は一切カットの巡礼の旅だが、フランシーヌが自分の活動の跡を紹介したいというので、顔を立てて寄り道をすることとした。最初に連れていかれたのは、市中の仏教活動センターだった。中年の物静かなフランス人男性の会長に紹介された。彼自身は、インドのダージリンから来たチベットの高僧、カルー・リンポチエ師のもとで修行したという。入会してくるフランス人は、多くは死後について考えている。輪廻転生はカトリックでは否定されているが、チベット密教の影響で、自分たちはほとんど肯定派です——と聞かされた。

心急く（こころせく）ので、義理の付き合いは早々に切りあげ、本筋の訪問先にぴたり針路を合わせた。

女性幻視者はカノエスという在に住んでいるとのことで、タクシーに乗る。

うららかな春日の午後、車はピレネーの山裾をゆるやかに上っていく。道々、フランシーヌはこう語ってくれた。

ダニエル・セール。一九四四年生まれで、五十三歳。若くして顕現を目撃し、サン・ダミアノのママ・ローザのもとで、驚嘆すべき数多の奇蹟を見る。癌を患い、夫の連れ子から迫害されて、自身は不幸の極にあるも、共同体活動で人助けに奉仕している。自分とは二十年来の付き合いになる――

ざっと、そんな説明だった。

カノエスは、かなり遠い。小一時間ほど走って、小さな田舎町に入った。一間間口（いっけん）の、小さな家の前で止まる。玄関に出迎えてくれたのは、一見、普通のおばさんである。キッチンをそのまま居室に仕立てたような狭い一室に通される。奥は猫の額ほどの庭になっている。

テーブルをへだてて向き合った。濃い茶髪のもと、小さなイヤリングを付けたほかは女っ気のまったく感じられない、木訥な農婦といった感じ。真っ白な歯並びの微笑が人柄を表している。

壁に掛かった、長い柄の鍋が二、三個と、食器棚のほかは何一つ目立つものはない……

一瞬、そう思ったが、すぐそれは間違いと気づいた。

何もないのではない。

一番大事なものがあった。一つの小さな物体が、恭しく、白いレースの掛かったテーブルの中央に置かれていて、すべてを集約している。

それは、高さ十五，六センチほどの立像だった。黄土色の、安易な陶製品で、どこの土産物店でも売っているようなしろものにすぎない。しかし、よく見ると、それは宝冠をかぶり、両腕を組んでいる。紛れもない、あのラ・サレットのマリア像なのであった。この小像がおそらくダニエル・セールの守護神であり、途方もない奇瑞のはたらきをするらしいことを、程なく私は目のあたりにすることとなる。

「わたしは、サン・ダミアノに行って、ママ・ローザと知り合いになりました……」

こちらの視線を追って、ダニエルは語りはじめた。

「ママ・ローザは、時に六十五歳で、亡くなる六年前のことでしたが、歳よりもずっと老けていました。わたしたちは二人でよく巡礼をしました。ラ・サレットにも一緒に行ったし、彼女はペルピニャンにも来てくれました。亡くなってから今年で十六年になりますが、その間もわたしはサン・ダミアノ詣りを欠かしたことがありません」

「マダム……」と私は訊いた。「マリア顕現は、あなたにどのように起こったのですか」

「わたしは、腎臓の一つが機能せず、ずっと病弱でした。十二歳のときに初めてマリアを見ました。庭で見たのですが、そのときにはまだ半透明の感じでした。キリストも一緒でした。そのうちに鮮明に見えるようになったのです」

微笑しながら淡々と語る。野良仕事から帰ってきたような赤い頬が息づいている。

「ジャンヌ・ダルクは十三歳で初めて光り物から声を聞いたと云いますから、ほぼ同年ですね」

「サン・ダミアノに行くようになってから数知れず見るようになりました。ママ・ローザ——本名はローザ・カットリーニと云います——も、うんと苦しんだ人です。帝王切開で二児を出産し、三人目のときにも、生んだら自分の命がないと云われたのに、やはり手術を受けて出産しました。そのあと、初めてマリアを見たのです」

そのことは私も知っていた。『サン・ダミアノ——薔薇の聖母のメッセージ』という本を読んでいたからだ。

「で、あなたの場合には、どのように顕れるのですか」

「わたしだけでなく、同席する他の人たちも一緒に見ることができます。ここから、巡礼団を仕立てて、バスでサン・ダミアノまで出かけるのですが、これから顕現が起こるというときには、体が震えて、熱くなります。時間の感覚が失われ、ここにみんなと共にあるという調和の思いに満たされます。車内に菫（すみれ）色の気が漂い、薔薇の香りが立ちこめてくるので分かるのです。あるときは、同乗した八人が全部、そのお姿を見たことがありますし、みんな強烈な光につつまれ、髪の毛を触られたりしました……」

フランシーヌが紅茶を淹れてくれる。

勝手知ったる他人の家のようで、これまでの仏頂面が幾分か和らいでいる。

「サン・ダミアノまで行かずとも」と、カップに手を添えたままダニエルは続けた。「聖母さまは、この家にも顕れてくださいます。おとし顕現したときは、両手から何本もの眩い光線を射放ったお姿で、その神々しさに回りの人たちは泣きました……」

「サン・ダミアノではいかがでした」

私が訊くと、ダニエルの顔はぱっと輝いた。

さっきから私は、つややかな頬の色にもかかわらず、眼窩に苦労の跡を刻んだ中年女性の顔の表情を視つめていたが、サン・ダミアノの名が出ると、いかにも嬉しそうに、うっとりとするその変化に、本当にこの人はそこで至福を体験したに相違ないと信じた。

「おゝ、ムッシュー」と彼女は答えた。「それは、とても、とても、言葉には云いつくせませんわ。ママ・ローザの家には、マリアの指示に従って造られた《パラダイスの園》という聖域があって、そこで顕現は起こりました。顕現と、メッセージと、霊癒の三つです。さらに、信じられないような天の異変が起こります。毎週金曜日の正午、《パラダイスの園》を囲んで、何千何万という巡礼が集まってきます。フランスだけでなく、世界中からです。ミラノから七十キロも離れた、人口たったの二百人の村にですよ。野山が大群衆で埋めつくされてしまうのです。見渡すかぎり、巡礼団の大きな幟（のぼり）がはためき、その中には日本人巡礼団の幟も混じっています。もちろん、わたしも、何度も参加しました。というよりも、ママ・ローザの傍でいつも一緒に祈っていたのです。そんなある日のことです。いつも顕現は正午に起こるので、その時刻が近づくと、回りは一段と祈りの声が高くなりました……」

「《薔薇の聖母のロザリオ》よ」

とフランシーヌが註釈する。

「そう、そのとき、わたしは見たのです。白昼なのに周囲が薄暗くなってきました。すると、白い雲が降りてきて、そこから大きな光球が出現して、園の梨の木の上に止まりました……」

「ママ・ローザの前に初めての顕現があったとき」と私は応じた。「直後に、季節はずれなのに、たちまち満開の花ざかりとなったという、あの木ですね」

「あらゆる色彩の薔薇の花が雪のように舞い散り、その中に、慈悲のポーズをとった聖母が顕れたのです。広げた両手からは目もくらむばかりの光線が射放たれて……。それから、空中に、太陽を中心に、いろんな光が乱舞するという奇蹟が生じました。えゝ、何度も見ましたわ、何千人もの人たちと一緒に――」

感動を鎮めるように、ダニエルは、冷たくなった紅茶を一口すすり、すぐに言葉を継いだ。とりわけ驚異の出来事を語ろうとしていたのだ。

「ママ・ローザのもとに通うようになってから二年目のことです。九月の午後遅くのことでした。陽はまだ空に輝いていました。合同の祈りは終わって、園に残った人々は、ママ・ローザを囲んで、めいめい、なおも熱心に祈りを続けていました。わたしもその一人でした。誰かが、あ、お日さまが！と叫びました。見上げると、目を開けていられないほど眩しい太陽の表面に、それよりやや小さい円盤が多いかぶさったのです。鋼鉄のような鉛色でした。そのまま静止し、それがフィルターのようなはたらきをするのか、こんどは、視つめてもぜんぜん眩しくありません。すると、太陽は、まるで生きてでもいるかのように、その表面がどろどろと溶けて波打ちはじめました。と思うと、その縁（へり）は、ぐるぐると高速に回転しはじめて……。そして天空から地上へと、回転する光線を投げかけてきたのです……」

そのときのショックがいまなお尾を曳くかのように、ダニエル・セールは、ほっと吐息をついてから続けた。

「あの日の奇蹟は、パリから来ていたある医師や神父さんも証言しています。でも、もっと凄い現象もあったようです。それは、わたしがママ・ローザと知り合いになった一九七三年より三年前のことで、七月のある日にこういうことが起こったといいます。ぴたりと中心を太陽に据えて、その下方から強烈な黄色い光線が何本も放射され、数分間続きました。そのときのことは、パルヴィ社という出版社の創業者、アンドレ・カステラという人が目撃して書き残しています。ママ・ローザが亡くなるまで十数年間も行動を共にして、その事績を伝えた人です」

「あゝ、その本なら僕も読みましたよ」と私は云った。「さっき名を挙げた『サン・ダミアノ——薔薇の聖母のメッセージ』の著者ですね。非常に真摯な著書で、信頼が置けます。ママ・ローザは幻視者という以上にほとんど聖女である、との一言に心を打たれました」

ダニエルは満足そうに頷いて応じた。

「ママ・ローザは生涯に二千回もマリア顕現を見た方です。その間に、写真も撮られました。それどころか、撮るように聖母さまのほうからご指示があったのです」

絶好の潮時と見て、私は踏みこんだ。

「では、あなたも？　あの本の中にも、そのような太陽の奇蹟を撮った写真が一点掲載されていますね。その美しさは感動的です」

そう云いながら、さっきから気になっていた、テーブルの端に無造作に積まれた写真の束に視線を向けて、問いを繰りかえした。

「あなたもお撮りになったのですか」

ダニエルは顕現の写真を撮ると、フランシーヌから聞かされている。そこから好奇心を引きつけられて、ここまで迂回してきたのだ。

と、ダニエルは、すぐさまこちらの意向を汲んで、ばらばらに積みあげられた写真の束を引き寄せると、目の前に並べはじめた。

全体からほとばしる光線の乱舞といった光景に、私は目を奪われた。いささかも勿体ぶったところのない彼女の所作にも感じさせられた。この種の写真は、普通ならば秘匿されているものであろう。それがここでは、アルバムやファイルに整理されるでもなく、手札かキャビネ程度の印画紙に焼きつけたまま、何十点あろうか、こんなにも剝き出しに山積みになっている。

これまでほとんど文学的記述でしか知ることのなかった「マリア顕現」が、初めてヴィジュアルに、しかもそれを撮った人の手で、かくも豊富に眼前に繰りひろえられるさまを見て、私はショックのあまり暫く声もなかった。

「ずいぶんと、人に持っていかれてしまって……」

とダニエルは事もなげにいう。所有権とか、そういった概念は一切、彼女にはないのであろう。

ざっと眺めわたしたかぎり、大半が、炸裂し、回転する光線の、まんじともえと躍動する光景である。さっき聞いたような、太陽を中心とした回光であると知らなければ、人為的と疑う人もあるかもしれない。が、私自身には、疑心はまったく起こらなかった。風景とともに映りこんだマリアらしき面影もある。空中にひっくりかえった嬰児らしき形象もある。

思わず、私は、「ペルメッテー」（宜しいですか）と許可を得てから、持参したカメラを構えて、上方から、並べた数点を撮影しようとした。ところが、それまでそんなことは一度もなかったのに、何度押してもシャッターが落ちない。困惑した様子を見て、ダニエルが、よこしなさいと云うので渡すと、その手の中でシャッターはすぐぱちりと切れた。

それから、一枚ずつ、何点か、別個に撮影させてもらった。

そのつど、ラ・サレットの聖母の小像に立て掛けて。

空中の嬰児の写真については、人工流産への反対運動にかかわっていたときのものですと、ダニエルは説明した。そのときどきに関与している事柄が空間に投影されるらしい。ご多分に洩れず、ママ・ローザに対する教会内部からの猛烈な弾劾運動が起こり、一時は「メッセージ」の公布の差し止めにも遭ったが、そのようなとき、撮られた写真には、敵対する司教の顔が馬の顔をして映りこんでいたのよとダニエルは笑った。「サン・ダミアノを聖地として認めなければ、どこに聖地があろう」とローランタン神父は書いていますねと私は応じた。

寛大にも撮影者自ら手を添えてその場で撮影してくれた。これらの写真は、いまこの稿を書きつつある二〇一八年六月の現在まで、どこへも発表することなく、深く私はそれを篋底に秘めてきたところのものである。私がカトリック教徒だったなら、紹介の場もあったであろう。ほかにも、メディアによっては飛びついてきたことかもしれない。しかし、「マリア顕現」という事象そのものが、日本社会にとってはすでに異質の極みである。テレビのバラエティショーの慰み物となって終わるには、それらは私にとって余りにも貴重な秘教文化の遺産であった。

写真記録を見せてもらったことで望外の幸せを感じつつ、稀なるこの幻視者のもとを辞去しようとした。その日のうちにルルドに回らねばならぬ。椅子を立とうとしたとき、声が上がった。

「ダニエルは、運勢も見るのよ」

と。

いつのまにか、入口に近いところに二人の女性が坐っていて、その一人から出た言葉だった。そのときになって私は、そうか、その霊力を頼って人々は透視をしてもらいにここを訪ねてくるのかと気づいた。思わず、

「僕も見てもらえましょうか」

と頼んでいた。

「えゝ、どうぞ」

とダニエルが答え、その前に坐りなおした瞬間から、何かが変わってしまったのだ。

わが前世

それから、別の時間が始まった。

ピレネーの女性幻視者ダニエル・セールの真の能力を私は知ることとなる。それとともに、私自身も知らない自分の秘密を――。

テーブルから私は席を移し、二人の来客の脇に腰を下ろした。ダニエルも立って、元の私のいた椅子に坐った。ほんの三メートルほどの位置に、左向きに坐った彼女の側面を斜めに見る格好である。

運勢を見ると聞かされたが、この人にはもっと思い切ったことを訊いてもよかろうという直観がはたらいて、ずばり、こう切り出した。

「僕の前世は何だったのでしょうか」

長い人生で一度も口にしたことのない問いである。

すると、ダニエルは少しも動ずる気配なく、黙って右の手をテーブルの上にかざした。そこには、中央に、例の黄土色の、冴えない小像――ラ・サレットのマリア像――が置かれている。その周りには、さっき見た沢山の顕現の写真。その上方に撫でるように彼女は手を動かした。やや小指を下げ加減に。

すると、間髪を容れず、周囲がかたかたと鳴りだした。

「サ・アリーヴ！」（来た来た）

と、隣の女たちが口々にいう。

食器戸棚と、壁に吊り下がった鍋と、大きなシェードの床上ランプのほかは、何にもない簡素な一室である。見回したが、地震のように揺れているでもない。が、明らかに家鳴りがしているのだった。

そんなことにはお構いなく、ダニエルは即座に私に向かって語りはじめた。

「あなたは、前世で、ある叛乱に加わっていました。兵士の一隊の指揮官でした。そして処刑されていいます……」

心中、私は、あっと叫んだ。思い当たるふしがあったからだ。ずっと不審に思ってきたが、あまりにも突拍子もないことなので、人にも云えず、胸の奥ふかくたたみこんできた。真っ先に、ずばっと、心臓をつかむようにそのことを指摘されて、鳥肌が立った。だが、透視の妨げにならないように、素知らぬ振りで通すことにした。

そうしたこちらの内心の動揺とはかかわりなく言葉は続く。

「あなたは、ある非常に高貴な家柄の子孫です。祖父か、曾祖父は、ある地方を領する……何ていうの、ほら……」

言葉をまさぐる。

サムライと云おうとしているのか、別の語彙を探しているのか、ちょっと途切れたが、これに対しても、あえて私は反応を示さなかった。

が、このほうは、資料があった。

我が家は家系図によれば清和天皇に端を発し、徳川家直参の旗本を経て、千二百年間続いた武家の一族だった。不肖私は嫡男として末端に連なっている。それにしても、いきなり「曾祖父」と云われたのにはびっくりした。私の曾祖父、竹本正光は、徳川慶喜に仕えたラスト・サムライで、版籍奉還までは常陸国の二ヶ村を所領としていた。下岡蓮杖が撮ったらしき、上下（かみしも）を付け、ちょんまげを結った正装の写真が残っている。

しかし、これについても私は余計なことは云わないようにした。が、内心、舌を巻きながら、畏敬の念をこめて会釈し、「大いに思い当たるふしがあります」と云うに留めた。

そのまま、しばし押し黙っていたが、またも好奇心がこみあげてきた。そこでこう新たに質問した。

「僕はこれからフランスに住もうとしていますが、何をいちばんやったらいいでしょうか」

幻視者は、ふたたび右手を写真――マリア顕現の光の渦――の上にかざした。と、ただちに語りはじめた。これまた、私を驚愕せしめるのに十分だった。

真っ先に彼女はこう云ったのだ。

「あなたはフランスには住めません、よ」

と。

冗談じゃないと、胸のうちで叫んだ。

二十三年前、パリから謂わば「人買い」に騙されたように故国に連れ戻され、真っ逆さまの転落と放浪を経験したあと、崖下から這いあがるようにして漸く古巣に返り咲いたばかりなのだ。「永住」を祝福して友人たちから盛大な見送りも受けている。住めないなどと、とんでもない——。

「このあと」と、しかし、淡々と声は続いた。「何か大きな事故のようなものがあなたの身の上に起こって、私的、個人的生活は放擲させられるようになります。四つか五つの橋(ポン)を渡らねばなりません。あなたは、日本で祖国のために果たすべきことをまだ果たしていません。それを果たせばフランスでまた住めますが、果たさなければ不可能です。あなたは、将来、非常に大事な何かを行うこととなります」

言葉はそこで終わった。

私は一言もなかった。とても真実とは思えなかったが、先ほどの「前世」のこともあり、打ちのめされていたのだ。

「ご神託(オラークル)は深く身に浸みました」と口に出していうのが精一杯だった。

ダニエルは何事もなかったかのように立ち上がり、私は別れを告げた。

部屋を出しな、ダニエルはこう云った。

「わたしたちは、誰でも、幾分か幻視者なのです。でも、彼岸（オードラ）の声を聞くには子供の心を持たなければなりません。単純さと、虔しみです――」

車に乗るフランシーヌと私を、ダニエルは立って見送ってくれた。

門口に小さな生垣があり、濃緑の中に、ほつほつと深紅の薔薇が咲いている。その一輪を手折って、つと、彼女は私にそれを差し出した。

ピレネーの山なみを背景に、この鄙の宿が、わがマリア巡礼の最後の札所となった。

そのときにはまだ、託宣がいかに真実であるか、思い及ばなかった。ただ、寒風に頬を染めた農婦のような赤ら顔の女性が、痛々しいほどの無垢の微笑を浮かべながら差し出す一枝の薔薇に、幽かに、遠い夢を思いだすばかりだった。

*

それからどう時間が過ぎたのか分からない。

ルルドに行くための最終列車はもうなくなってしまっていた。

やむをえず、ペルピニャンでもう一泊した。そのあと、予定を変えて、パリへ帰ってしまったのである。

それまで移動の時間は克明に記してきたが、そのときから、何時の列車でどう動いたのか、ぜんぜん記録もなければ記憶もない。最後までフランシーヌが一緒だったかどうかも。そうだ、帰りのタクシーの中で、ダニエルにと、なにがしかの謝礼を託したことから考えると、フランシーヌとはペルピニャンで別れたのであろう。

ともかく、それほどまでに、私は動顛させられてしまっていた。最大の要因は「前世」にあった。ダニエルによれば、前生（さきしょう）の私は、ある叛乱に加わり、兵士の一隊の指揮官として処刑されているという。あることに思い当たって、がっくりとなった。

それは、一場の夢から来ていた。

筑波暮らしをしていたころである。日仏シンポジウムの終わったあとだった。当時、「トーチカ」の二階の和室で寝起きしていたが、一夜、まったく唐突な夢を見た。

私は、ぐるぐると回る車輪にくくりつけられていた。どこまでも果てることなき車刑に処されているかのようだった。一つの車輪から解放されると、すぐまた次の車輪に仰向けに張りつけられ、それが回転して、また次へ……というふうに続いていく。永遠に救いなき業苦に、絶望のどん底に突き落とされていた。

すると、ある瞬間に、ふと、身が解き放たれた。

真っ暗闇の中に這いつくばっていた。地下室か屋根裏のような、低い天井の、狭い空間だ。向こうに薄明かりが見える。きっと出口に違いない。匍匐して進んでいくと、果たせるかな、躙り口のような小さな出口がある。そこから這い出ると、そこは燦々と陽の照る白昼の世界だった。やれ嬉しや、これで自由になれたのだと、前を見ると、なんと、ずらり並んだ死刑執行隊の銃口の前に立たされていたのだった……

あれほど恐ろしい夢は見たことがなかった。

夢見の仕方はユング心理学で学んで、基本的に二種類あることが分かっている。日常の雑事の反映にすぎないようなタイプと、魂の底から湧きでる「深い夢」と。あのとき見た処刑の夢が後者に属することは明らかだが、単純に夢と呼ぶには余りにも生々しすぎた。果たして自分は、そのような非業の運命に畢った未知人物の生まれ替わりなのだろうか。

私の生まれは、先にも記したが、昭和七年七月二十四日である。転生は、ある人が死んでから四十九日の間に、つまり魂が中有に彷徨っている間に起こるもののようであるから、もしかして歴史的に該当する人物がいるのかもしれない。そう考えて、「五・一五事件」の実行犯を調べてもみた。犬養毅首相の暗殺など、海軍青年将校らの襲撃によるこのテロ行為は、しかし、私の誕生より七十日以上前に起こったものであるうえ、実行犯で処刑された者は皆無だった。

ただ、最後に死刑執行隊の銃口の前に立たされた瞬間の恐怖は――そのとたん目が覚めたのであるけれども――いつまでも心中ふかくこびりついて離れなかった。確かなことは、銃殺されたとするならば、「叛乱」の汚名を着てのことにほかなるまい……

そう考えてきたが、「薔薇の聖母」の幻視者から、真っ先に、ぴたり、前世で私は反乱軍に加わっていたと指摘された。

それを実証することは不可能であろう。しかし、そう云われて心臓が飛びあがるほど驚いたのは、まさに車刑の夢体験があればこそだった……

そのような動顚した心境でパリに戻った。

最終目的地のルルドへは、結局、行かずじまいとなったが、後悔はなかった。あまりにも有名なルルドよりも、それに先行するラ・サレットに詣でたことで十分のように感じていたし、何より、「薔薇の聖母」の宿で得た感動をもって行脚を収めたい気持が無意識のうちにはたらいていた。

サン・トノレ街の定宿、サン・ロック・ホテルに帰ると、フロントで一通のファクスを手渡された。

《日本再興のための組織を立ち上げます。ぜひ、ご参加願いたい》

という単純な文面だった。

署名を見ると、「黛敏郎」とある。

黛敏郎氏は、「パリ憂国忌」を共催して以来の間柄だ。こう云って訴えかけてくる以上は、よくよくの大事であろう。躊躇なく、受けることを決意した。

こんどこそ定着して、積年中断したままのフランスでの執筆生活を取り戻そうと用意していたアパルトマンをも、惜しげもなく手放した。閨秀作家、マルチーヌ・ド・クールセル夫人の持ち家で、リュクサンブール公園に臨む一等地の、広々とした四部屋の家だったが。

浅慮か、運命か、いまもって分からない。ただ一つ確かなことは、こうして自分は、「私的、個人的生活は放擲させられる」に至ったこと、そして「日本のために果たすべきを果たす」任に就いたことである。

それから五年間、祖国でこれに挺身することとなる。

そのあと、さながらその報いであるかのごとく、ごく自然に、ある極めて意義ふかいミッションを帯びてパリへと帰還するに至る。
すべて、あのピレネーの幻視者の予言したとおりとなった。

（第七巻　影向篇おわり）

竹本忠雄

『未知よりの薔薇』全巻リスト

竹本忠雄（TAKEMOTO Tadao 1932 〜）

日仏両国語での文芸評論家。筑波大学名誉教授、コレージュ・ド・フランス元招聘教授。
東西文明間の深層の対話を基軸に、多年、アンドレ・マルローの研究者・側近として『ゴヤ論』『反回想録』などの翻訳、『マルローとの対話』などを出版、かたわら、日本文化防衛戦を提唱して欧米での反「反日」活動に従事（日英バイリンガル『再審「南京大虐殺」』等）、その途上で皇后陛下美智子さまの高雅なる御歌に開眼し、仏訳御撰歌集をパリで刊行、大いなる感動を喚起して、対立をこえた大和心の発露の使命を再確認する。
令和元年11月、仏文著書『宮本武蔵　超越のもののふ』（日本語版、勉誠出版）を機に、87歳でパリに招かれて記念講演を行い、新型コロナウィルス流行直前に帰国して、構想50余年、執筆8年で完成した『未知よりの薔薇』の米寿記念刊行に臨む。

未知（みち）よりの薔薇（ばら）　第七巻　影向（ようごう）篇

著者　竹本忠雄
発行者　吉田祐輔
発行所　㈱勉誠社
〒101-0061 東京都千代田区神田三崎町二－一八－四
電話　〇三－五二一五－九〇二一㈹
二〇二一年七月二十四日　初版発行
二〇二四年十一月八日　初版三刷発行
印刷製本　株式会社コーヤマ

ISBN978-4-585-39507-2　C0095

平成の大御代
両陛下永遠の二重唱

絶讃を博した講演録を柱に、皇后陛下美智子さまへの手紙、エッセイ、渡部昇一氏との対談の三篇を収録。独創的年表を付録として一本に収める。

竹本忠雄 著・本体一八〇〇円（＋税）

霊性と東西文明
日本とフランス「ルーツとルーツ」対話

《ヨーロッパとアジアの対話はルーツとルーツの対話である》とのマルロー提言に基づき、日仏霊性文化の根源から、超広角的に謎の解明に迫る。

竹本忠雄 監修・本体七五〇〇円（＋税）

大和心の鏡像
日本と西洋 二つの空が溶け合うとき

アインシュタイン、小泉八雲、マルロー…。知の巨匠たちは、いかに魂の次元で日本文明に傾斜し、霊性時代の再来を予感したか。著者渾身の畢生作。

竹本忠雄 著・本体三六〇〇円（＋税）

宮本武蔵 超越のもののふ
武士道と騎士道の対話へ

武蔵の代表的名画を中心に豊富なカラー図版を散りばめ、世界的視野から「ルネサンス的巨匠」武蔵像を浮かび上がらせる。

竹本忠雄 著・本体三五〇〇円（＋税）

三島由紀夫の国体思想と魂魄

「歴史と伝統の国、日本である」と国民の覚醒と自尊自立を訴えた三島由紀夫。「伝統と革新の均衡」を思想基盤とした、国家論と国体思想を、客観的かつ精密に究明。

藤野博 著・本体四二〇〇円（＋税）

三島由紀夫と神格天皇

巨大な問題提起者・思想的刺激者である三島由紀夫の天皇観を緻密に分析し、「死の真相」を解き明かす。「倫理の不滅性」を訴えた素顔の三島由紀夫がいま蘇る。

藤野博 著・本体三五〇〇円（＋税）

三島由紀夫と日本国憲法

憲法に関する三島の発言を丹念に追い、その憲法改正論の内容を解説。日本国憲法の成り立ちと性格を客観的に究明し、第九条を広角的視点から再点検する。

藤野博 著・本体三〇〇〇円（＋税）

青空の下で読むニーチェ

西部邁は『アクティブ・ニヒリズム』を主唱した。三島由紀夫ほどニーチェを読みこなした作家はいない。人生を強く生きよと主張したニーチェの思想を読み直す。

宮崎正弘 著・本体九〇〇円（＋税）

三島由紀夫の切腹
よみがえる葉隠精神

「武士道と云ふは、死ぬ事と見付けたり」。三島はこの葉隠精神の実践に己れの全存在を賭けて突出した。武士道美学の殉教者たらんとした三島の精神性に迫る。

北影雄幸 著・本体三〇〇〇円（+税）

三島由紀夫と能楽
『近代能楽集』、または堕地獄者のパラダイス

現代にこそ鮮烈によみがえる三島由紀夫。「生きづらさ」を生きぬくポスト・セカイ系世代の新鋭による初の三島＝能楽論。

田村景子 著・本体二八〇〇円（+税）

三島由紀夫 人と文学

創作ノートや遺品資料を駆使して、伝記的事項を確定。知人の証言や新聞・週刊誌の記事により多角的に実証する。多領域にわたり活動した不逞偉才の《三島》に迫る。

佐藤秀明 著・本体二〇〇〇円（+税）

戦後派作家たちの病跡

精神分析学、現象学、存在論、脳科学といった思考法により補助線を引くことで、作品という運動体の軌跡が浮き彫りになる。

庄田秀志 著・本体三八〇〇円（+税）

竹本忠雄

未知よりの薔薇

第七巻　影向篇

勉誠社